THIS ITEM IS ON SPECIAL LOAN AS AVAILABLE FROM MERTHYR TY SERVICE.

Whatever you need we can help – with books, audio books, free Internet access, information and much more. Even if you don't live near a branch library you can get access to the full lending collection from our mobile library service – stopping at a street near you!

It's easy to join – you only need to prove who you are.

Look at our website www.libraries.merthyr.gov.uk

MAE'R EITEM HON AR FENTHYCIAD ARBENNIG FEL SAMPL O'R HYN AR GAEL GAN WASANAETH LLYFRGELLOEDD CYHOEDDUS MERTHYR TUDFUL.

Beth bynnag ydych chi angen, fe allwn ni helpu – llyfrau ar dap, mynediad am ddim i'r Rhyngrwyd, gwybodaeth a llawer mwy. Os nad ydych chi'n byw wrth ynyl cangen o'r llyfrgell, fe allech chi gael mynediad at y casgliad llawn sydd ar gael I'w fenthyg trwy ein gwasanaeth llyfrgell symudol – sy'n dod I stryd gyfagos i chi!

Mae'n hawdd ymuno – does dim ond eisiau I chi brofi pwy ydych chi.

Edrychwch ar-lein ar www.libraries.merthyr.gov.uk

tro drwy'r tymhorau

Twm Elias

Diolchiadau
Diolch i'r BBC am ganiatâd i addasu'r cyfraniadau i *Galwad Cynnar* ar gyfer y gyfrol hon ac i Aled P. Jones ('Mr Cynhyrchydd') am y cyfle i'w darlledu yn y lle cyntaf. A thrwy hynny i orfodi arnaf y ddisgyblaeth o baratoi rhywbeth yn wythnosol ar gyfer y rhaglen. Fe ddechreuodd fy niddordeb ym maes llên gwerin y tymhorau o ddifri wedi cyfarfod Patrick Harding ganol y 1990au wrth ffilmio ar gyfer y rhaglen Nadoligaidd 'Hosanau Wali', S4C. Daeth Patrick i gynnal cyrsiau ar arferion y Dolig yn flynyddol i Blas Tan y Bwlch yn ddiweddarach. Bu cydweithio gyda Neville Jones ar gyfres o erthyglau tymhorol yn yr *Herald* yn ystod 1997 hefyd yn gaffaeliad mawr i ddechrau cael pethau i drefn.

Diolch hefyd, yn naturiol, i'r ugeiniau o bobl a gyfrannodd o'u gwybodaeth yn fwriadol neu yn ddiarwybod, a goddef weithiau imi chwilio a chwalu yn fy mhocedi am ryw gerpyn o bapur a beiro a gofyn: 'Ew! 'Newch chi dd'eud hynna eto?'

Argraffiad cyntaf: 2007

Rhif rhyngwladol: 1-84527-149-1
978-1-84527-149-7

Mae'r cyhoeddwr yn cydnabod cefnogaeth ariannol
Cyngor Llyfrau Cymru

Cyhoeddwyd gan
Wasg Carreg Gwalch,
12 Iard yr Orsaf, Llanrwst, Conwy, LL26 0EH.
Ffôn: 01492 642031 Ffacs: 01492 641502
e-bost: llyfrau@carreg-gwalch.co.uk
lle ar y we: www.carreg-gwalch.co.uk

Argraffwyd a chyhoeddwyd yng Nghymru.

Yn gyflwynedig i'r cathod.

O, ia, ac i Delyth, Gwenllian, Rhiannon ac Owain.

Cynnwys

cyflwyniad

MAE CYNNWYS y gyfrol hon yn seiliedig ar flwyddyn gron o sgyrsiau ar *Galwad Cynnar*, BBC Radio Cymru, bob bore Sadwrn rhwng Medi 2004 a 2005. Roeddwn yn falch iawn o'r cyfle i gyfrannu i'r rhaglen hynaws hon am ei bod yn esgus i mi roi trefn ar ddeunyddiau y bûm yn eu casglu am flynyddoedd lawer cyn hynny. Does dim byd cystal â 'dedlein' i hogi'r meddwl yn nagoes?

Un maes yr oedd gen i ddiddordeb mawr ynddo oedd edrych ar darddiad yr hen wyliau blynyddol, megis y Dolig, diwrnod crempog, Pasg, C'lanmai a Ch'langaeaf a gweld sut y maent wedi newid cymaint dros y blynyddoedd wrth addasu i ddiwallu anghenion y byd modern. Mae'r rhain yn gyforiog o hanes a llên gwerin ac fe synnwch be sy' y tu ôl i rai ohonyn nhw!

Mae gen i ddiddordeb mawr hefyd mewn dilyn trefn y flwyddyn amaethyddol drwy gyfrwng yr hen ffeiriau traddodiadol. Roedd y rhain mor bwysig yn eu tro, yn adlewyrchu gwaith y flwyddyn, megis prynu hadau, cyflogi gweision, talu dyledion a phrynu neu werthu ceffylau, defaid a menyn pot ayyb, ond roeddent hefyd yn galendr i nodi pryd i gyflawni gorchwylion, e.e. troi'r gwartheg allan Ffair G'lanmai a byddid yn plannu tatws adeg gwyliau'r Pasg a'u codi adeg Diolchgarwch. Megais ddiddordeb yn hwyl a miri'r hen ffeiriau drwy holi ffermwyr a gwladwyr mewn dosbarthiadau WEA yn y 1980au-90au, drwy ddilyn hynt y porthmyn ar gyrsiau ym Mhlas Tan y Bwlch a chofnodi hanesion yn y cylchgrawn *Fferm a Thyddyn*.

Bu gwerthfawrogi newidiadau tymhorol byd natur yn rhan o'm cyfansoddiad ers pan oeddwn i'n ddim o beth a bûm yn casglu arwyddion tymhorol y tywydd ers 30 mlynedd a'u cofnodi yn *Llafar Gwlad*. Dechreuodd y diddordeb hwnnw pan ddeuthum i weithio i'r Plas, gan arwain criwiau o bobl i gerdded a gwerthfawrogi cefn gwlad. Buan iawn y gwelais bod llawer o'r arwyddion traddodiadol cystal os nad gwell ar adegau na rhagolygon swyddogol y Swyddfa Dywydd!

Bwriad, a gwerth yr hyn a geir yma ydy tynnu llinynnau ynghyd – wel, cryn dipyn ohonyn nhw beth bynnag – yn goelion ac arferion gwerin tymhorol, yn llenyddiaeth a dywediadau am fyd natur a threigl y calendr amaethyddol fel y gallwn werthfawrogi'n well gyfoeth y brodwaith lliwgar sy'n addurno ein cefndir diwylliannol.

Ond mae'n rhaid imi gyfaddef mai rhyw grafu'r wyneb ydw i yn llawer o'r hyn gyflwynir yma a 'dwi'n siŵr fod gan lawer ohonoch chi eich profiadau eich hunain ac amrywiaethau lleol ar yr hyn sydd gen i. Dyma pam y gadewir lle ar ddiwedd pob pennod ichi ychwanegu eich nodiadau personol eich hun, boed yn ddywediadau, atgofion, dyddiadau sioeau a ffeiriau a sylwadau o bob math. A chofiwch, gadewch imi wybod amdanynt – siawns na fydd rhai pethau yn haeddu llwyfan ehangach a'u diogelu ar gof a chadw rhwng cloriau *Llafar Gwlad* neu *Fferm a Thyddyn*.

Yr Hen Galendr a'r Calendr Newydd

FE SYLWCH drwy'r tudalennau i ddod bod dau ddyddiad i rai o'r gwyliau a'r ffeiriau a grybwyllir, e.e. Calan (1af Ionawr) a'r Hen Galan (12fed Ionawr); Calan Mai (1af Mai) a Hen Galan Mai (12fed Mai) pryd y cynhelid y ffeiriau cyflogi i weision ffermydd, neu ffeiriau C'lanmai (12fed-14eg fel arfer).

Y rheswm dros hyn yw penderfyniad seneddol i newid y calendr yn 1752 a mabwysiadu'r un drefn a oedd yng ngweddill Ewrop.

Pam newid? Rhaid oedd newid oherwydd dydi'r ddaear ddim yn cylchdroi o gwmpas yr haul mewn $365^1/_4$ diwrnod yn union bob blwyddyn ond mewn 365 diwrnod, 5 awr, 49 munud a 34.032 eiliad – sydd ychydig dros 10 munud ohoni bob blwyddyn. Dim llawer mewn oes dyn efallai ond am fod y calendr gwreiddiol, a sefydlwyd gan Iŵl Cesar yn 46 OC (Calendr Iŵl), wedi bod ar ddefnydd am 1,800 o flynyddoedd roedd y 10 munud bob blwyddyn wedi troi yn un diwrnod ar ddeg erbyn canol y 18fed ganrif.

I wneud iawn am y diffyg, penderfynwyd mabwysiadu calendr y Pab Gregory XIII (Calendr Gregory). Roedd hwn eisoes wedi ei fabwysiadu gan weddill Ewrop yn Hydref 1582, ond nid gan lywodraeth Prydain – oedd yn gwrthwynebu unrhyw beth Pabyddol!

Golygai'r Calendr Gregori newydd fod angen gollwng un diwrnod ar ddeg – rhwng yr 2il a'r 14eg o Fedi y flwyddyn honno. Roedd calendr Medi 1752, felly yn dilyn y patrwm: 1af, 2il, 14eg, 15fed ayyb. Cwestiwn da mewn cwis = be ddigwyddodd ar 6ed Medi, 1752? Ateb = dim! Doedd y dyddiad ddim yn bod!

Wel! Doedd y werin ddim yn hapus iawn gyda'r fath ymyrraeth a bu reiots mewn rhai dinasoedd – fe laddwyd pobl ym Mryste! Roedd pobl yn meddwl eu bod yn colli un diwrnod ar ddeg o'u bywydau! 'O rhowch inni yn ôl ein dyddiau coll!' oedd y gri yma yng Nghymru. Beth bynnag, er y bu raid i'r werin dderbyn dyddiadau calendr newydd y Pab Gregory, fe wrthodon nhw symud y ffeiriau ac amryw o arferion tymhorol eraill, gan ddal i gyfri'r dyddiau fel pe na bai'r calendr newydd wedi dod i rym. Dyna pam fod dau ddyddiad – yr hen a'r newydd – i rai digwyddiadau.

Ionawr

DYDD CALAN

'Blwyddyn Newydd dda i chi, ac i bawb sydd yn y tŷ.
Blwyddyn Newydd Dda i chi, dyna yw'n dymuniad ni.'

Ydach chi'n mynd, neu ydach chi'n disgwyl rhywun acw, i Hel Calennig fore Calan? Hogyn pryd tywyll ddylsai fod gyntaf dros y rhiniog – yn cario glo (gwres), bara (bwyd) a dŵr (bendith). Chydig iawn sy'n mynd y dyddiau yma i ganu'r gân fach yna neu un debyg iddi – gan dderbyn arian neu gyflaith neu ddanteithion eraill. Ac yn unol ag ysbryd yr achlysur, pan fyddai popeth yn newydd ar gyfer y flwyddyn newydd – fe fyddai pobl wedi cael cyflenwad arbennig o geiniogau newydd sbon danlli i'w rhoi i'r plant.

Mae Hel Calennig yn hen, hen arfer oedd yn dal yn ei fri tan y 1950au, ond fe waniodd yn sydyn iawn ar ôl hynny pan ddaeth yr oes fodern drydanol, fodurol a theledol ar ein gwarthaf ni – ac i ninnau droi'n fwy soffisticêt a llawer llai cymdeithasol yn sgîl hynny.

Wel, roedd ein teulu ni yn dal i gynnal yr arferiad tan 2005, tra oedd y plant yn dal yn yr ysgol gynradd – dim ond at rhyw un neu ddau yn yr ardal – i'r plant gael profiad o hen draddodiad ac i gael rhyw chydig o bres mân i ddechrau ail-lenwi'r pocedi 'na oedd, o, mor wag ar ôl gwario mawr y Dolig!

Fe fu cyfnod Gwyliau'r Dolig – y 12 diwrnod o Sant Steffan hyd 6ed Ionawr, hefo'r Calan reit yn y canol – yn llawn miri erioed am wn i. Mae gwreiddiau hynny yn yr hen ddefodau paganaidd cyn-Gristnogol pan geid cyfnod o wledda a miri mawr i ddathlu goruchafiaeth yr haul dros y tywyllwch pan welid y dydd, o hyn ymlaen, yn dechrau 'mystyn – 'cam ceiliog cyn y Calan' yn ôl yr hen ddywediad.

YR YSTWYLL A DIWEDD Y GWYLIAU

Onid ydi'r tŷ 'cw yn llwm ar ôl tynnu'r trimings Dolig i lawr? Ond buan iawn 'dan ni'n anghofio miri'r Dolig a'r Flwyddyn Newydd – be' bynnag fydd gan honno ar ein cyfer ni. A chofiwch, o hyn allan, i newid y flwyddyn pan ydach chi'n sgwennu sieciau!

Ar y 6ed o Ionawr, mae'r Ystwyll, sef diwedd 12 diwrnod y Gwyliau. Roedd y noson flaenorol (5ed Ionawr) yn arfer cael llawer o sylw erstalwm. Honno, sef 12fed noson y Gwyliau, oedd yr olaf a'r bwysicaf yn yr hen amser i'r Fari Lwyd a phartïon Hela'r Dryw fynd o dŷ i dŷ i gael hwyl a chanu Gwasail. Y canu Gwasail, wrth gwrs, fyddai canu ac ateb rhwng y criw y tu allan a'r teulu tu mewn cyn i'r ymwelwyr gael mynediad i'r tŷ i gael danteithion a diod ac i ddymuno lwc dda i'r teulu a chnydau toreithiog am y flwyddyn i ddod.

Bu bron i hen arferiad y Fari Lwyd o Forgannwg farw yn llwyr, ond mae wedi dŵad yn ôl i boblogrwydd mewn sawl rhan o'r wlad yn ddiweddar. Ac mae'n drawiadol iawn hefyd – y penglog ceffyl yn y clogyn gwyn a'r rubanau lliwgar ar daith o gwmpas y tai a thafarndai ac yn clepian ei ddannedd! Fe fyddai canu Gwasail yn yr achos hwn hefyd gan hebryngwyr y Fari, a digon o hwyl a diod!

Roedd Hela'r Dryw yn dal i ddigwydd yn Sir Benfro tan ddechrau'r 20fed ganrif. Byddai pobl yn arfer rhoi corff dryw bach mewn tŷ bychan pren gyda rubanau lliwgar ar ei do a'i gario o gwmpas y pentref a chanu penillion Gwasail wrth ddrws bob tŷ. Byddent wedyn yn cael eu gadael i mewn i gael dipyn o hwyl a chyflaith a chwrw.

Fe fyddai'r Gwaseilwyr yn sicr o fynd i dai parau ifanc oedd newydd briodi yn ystod y flwyddyn ac yn cael croeso arbennig yno – i ddymuno priodas ffrwythlon iddyn nhw, h.y. deisyfu y byddai'r pâr ifanc yn cael teulu anferth yn union fel y dryw ei hun!

Aiff yr hen arfer hwn â ni reit yn ôl i'r hen ddefodau paganaidd cyn-Gristnogol pan fyddai trefn arferol pethau am rai dyddiau o gwmpas y dydd byrraf, yn cael ei throi â'i phen i waered, a'r dryw – oedd yn cynrychioli'r lleiaf o bawb a phopeth – yn cael bod yn Frenin yr Ŵyl dros dro, ond yn cael ei aberthu hefyd, druan bach.

Fersiwn arall o'r dathlu oedd mynd o gwmpas hefo Powlen Wasail – yn enwedig ym Morgannwg a Chaerfyrddin. Byddai criw yn mynd â'r Bowlen o gwmpas y fro ac roedd hon yn un arbennig iawn – gyda deuddeg dolen iddi â siapiau ffrwythau drosti, yn enwedig afalau – a hon eto wedi'i haddurno'n lliwgar hefo rubanau. Roedd crochendy Ewenni yn enwog am wneud y rhain ar un adeg. Byddai'r bowlen yn cael ei chario'n ofalus o un lle i'r llall – yn enwedig i dai parau ifanc oedd newydd briodi, neu i dŷ newydd rhyw deulu oedd wedi symud tŷ yn ddiweddar. Roedd hi'n llawn cwrw cynnes hefo sbeisys ac fe fyddai'r teulu groesawai'r parti wedi paratoi cacen Ystwyll arbennig, oedd yn debyg i fara brith, neu gacen Dolig, ar eu cyfer nhw.

SÊLS IONAWR

Mae'n drueni ein bod ni wedi colli'r cwbwl bron o'r miri cymdeithasol yma. Ond dyna fo, mae'r oes wedi newid, a defodau gwahanol iawn wedi cymryd eu lle erbyn hyn. Ia, ryw ddefodau sy' fymryn bach yn fwy materol, sef Sêls Gwyliau Dolig a mis Ionawr wrth gwrs. Ydach chi wedi sylwi fod y Sêls 'ma yn cychwyn yn gynharach bob blwyddyn bron? Fe gewch chi Sêls hyd yn oed ddeuddydd cyn y Dolig erbyn hyn! Mae'n rhaid bod y siopau bron â marw isio'ch pres chi!

Ond wyddoch chi fod gwreiddiau Sêls yr adeg hon o'r flwyddyn yn hen, hen iawn? Hynny yw, mae wedi bod yn rhan o arferion Nos Calan, ers cyn cof, ichi wneud addunedau, fyddai'n gosod y patrwm i bethau ar gyfer y flwyddyn newydd (yn y meddwl o leiaf). Math o swyn cyntefig oedd hyn mewn gwirionedd i geisio dylanwadu ar y dyfodol fel ei fod yn ffafriol i chi. Ar gyfer y flwyddyn newydd felly roedd raid ichi sicrhau, yn ogystal â gwneud addewidion i chi eich hun, eich bod wedi:

- talu dyledion – neu mewn dyled fyddwch chi am weddill y flwyddyn.
- wedi gwneud ffrindiau hefo pawb a dymuno blwyddyn newydd dda hyd yn oed i'ch gelyn pennaf!
- wedi llnau'r tŷ a thacluso bob dim a gwneud yn siŵr nad

oedd joban ar ei hanner!

- a chael dillad newydd ar gyfer y flwyddyn newydd – neu o leia wisgo rhai glân. Ac, wrth gwrs, i fanteisio ar y syniad y dylsech gael dillad newydd y cododd y Sêls yn y lle cyntaf!

DILYN YR HEN GALENDR

Yn hytrach na bod deuddeg dydd y Gwyliau yn rhedeg o 26ain Rhagfyr i 6ed Ionawr, fel yn y calendr modern, mae rhai yn dilyn yr 'hen galendr' sydd un diwrnod ar ddeg ar ôl y calendr modern. Un enghraifft o hyn ydi yr hyn a elwir yn Llŷn yn Galendr Enlli. Yn ôl hwn fe ddylsech nodi pa dywydd gewch chi bob dydd am y deuddeg diwrnod rhwng y 6ed a'r 18fed o Ionawr – sef yr Hen Wyliau. Yn ôl hwn bydd tywydd y deuddeg niwrnod yn cyfateb i dywydd y deuddeg mis. On'd ydi hi'n rhyfeddol sut y parhaodd yr Hen Galendr? Hynny yw, mae rhai pobl yn Llŷn sy'n dal i nodi Calendr Enlli o hyd; ym Maldwyn fe fydd y canu Plygain yn dal ati tan yr 21ain ac yng Nghwm Gwaun ym Mhenfro fe fyddant yn dathlu'r Hen Galan ar y 12fed, ac yn cynnal gwasanaeth Canu Pwnc yn Eglwys Llandysul. Hir y byddant barhau, ynde?

Y DYDD YN 'MESTYN A THYWYDD IONAWR

Erbyn hyn mae hyd y dydd yn dechrau 'mystyn. Mae 'na hen ddywediad sy'n disgrifio hynny – 'Awr fawr Calan, dwy Ŵyl Eilian a thair Gŵyl Fair'. Yn Sir Benfro ceid yr amrywiad canlynol i'r cymal ola: ' . . . , Tair Gŵyl Fair a thros ben cifri (cyfri) erbyn Gŵyl Dewi.'

Ond pa mor gywir ydi'r dywediad yma? Awr fawr Galan? Hen Galan, y 12fed Ionawr fyddai hon ac, wel, rhyw 29 munud o ymestyniad i'r dydd ydach chi'n ei gael erbyn hynny mewn gwirionedd, sydd tua hanner yr addewid. Dwy Ŵyl Eilian? (yr hen Ŵyl Eilian ar 29ain Ionawr) – wel, rhyw 68 munud gewch chi erbyn hynny, sydd eto ond ychydig dros hanner yr hyn addawyd. A Thair Gŵyl Fair (13eg Chwefror) yn rhoi 2 awr a chwarter inni – sydd ryw dri chwarter awr yn fyr.

Dydi'r amseroedd ddim cweit yn cadw at Safonau Masnach Deg efallai, ond dyna fo – efallai bod 'na ryw chydig bach o gelwydd golau ynddo er mwyn y mydr a'r odl ynde? Pwysigrwydd Gŵyl Fair yn y cyswllt hwn, gyda llaw, yw y byddai'r dydd wedi ymestyn digon erbyn hynny fel na fyddai angen cannwyll ar gyfer gweld i borthi'r gwartheg yn y beudy gyda'r nos.

CYNFFONNAU ŴYN BACH A THYWYDD IONAWR

Mae ymestyniad y dydd, yn naturiol, yn arwydd da y gallwn bellach edrych ymlaen – yn ofalus – at groesawu'r gwanwyn. A chyn bo hir wrth i'r cynnydd yn hyd y dydd frasgamu yn ei flaen o ddifri gallwn ddisgwyl gweld cynffonnau ŵyn bach ar y coed cyll a blagur yr helyg yn dechrau chwyddo a gwynnu.

Gall deffroad byd natur amrywio'n arw o flwyddyn i flwyddyn, er enghraifft yn 2003 yn ardal Garndolbenmaen bu raid aros tan ganol Chwefror i weld y cynffonnau ŵyn bach ar y coed cyll. Roedd hi'n ganol Ionawr arnyn nhw'n ymddangos, yn yr un lle, yn 2004 a 2005, ddiwedd y mis yn 2006 a rhan gynta'r mis yn 2007. O ia, ac os ydach chi am wneud cymariaethau o'r fath o flwyddyn i flwyddyn, cofiwch gymharu yr un goeden bob tro – waeth ichi heb â chymharu coed sy'n naturiol hwyr hefo rhai naturiol gynnar yn na waeth? Cysondeb ydi'r gair – i fod yn wyddonol gywir fel 'tae!

Dim rhyfedd felly fod 'na gymaint o arwyddion tywydd am yr adeg hon o'r flwyddyn yn darogan gwae os ceir Ionawr tyner: 'Ionawr tyner – Duw â'n helpo!' yw un dywediad. Hefyd yn ôl Myrddin Fardd yn *Llên Gwerin Sir Gaernarfon* (1908): 'Daear las – mynwent fras'; 'Gwanwyn yn Ionawr argoela flwyddyn ddrwg'; 'Os bydd porfa las yn Ionor dylset gloi ar ddrws dy sgubor' yn y canolbarth – sy'n golygu y cawn gynhaeaf gwael ac ŷd yn brin fel aur! 'Braf yn Ionawr, dial ym Mai' hefyd, ac un dda o'r Almaen ydi: 'Gwell gweld blaidd ym mysg y preiddiau na gweld gwladwr yn llewys ei grys yn

Ionawr'! Wel, dyna i chi ddweud!

Dwi'n cael yr argraff fod 'na lawer iawn mwy o arwyddion sy'n darogan gwae os ceir tywydd tyner na'r rhai sy'n canmol tywydd oer? Tybed a ydi'r holl arwyddion gwae yn tarddu o agwedd yr hen Biwritaniaid gynt, oedd yn credu petaech chi'n cael amser rhy dda rŵan fe fydd rhaid talu amdano yn nes ymlaen! Hm! Mae'r arwyddion tymhorol 'ma yn yr un cywair yn dydyn nhw?

YR ADAR YN 'STWYRIAN

Os cawn ni dywydd gweddol dyner yr adeg hon o'r flwyddyn, un peth y sylwch chi arno ydi ymateb yr adar. Bydd gwialchod, titws a ji-bincs o gwmpas y gerddi – nid yn unig yn trydar ond yn canu nerth esgyrn eu pennau. Datganiad tiriogaethol ydi'r canu 'ma – sy'n golygu bod y ceiliogod yn teimlo'u hormôns yn dechrau codi a'i bod yn hen bryd hawlio dipyn o dir a chwilio am iâr, a hyd yn oed, os ydi'r ysfa yn ddigon cryf, i ddechrau codi nyth, a 'ballu. Fe welwch chi'r ydfrain (neu frain pigwen) yn barau yn barod yn y franas, neu bentref brain, ac eisoes yn tacluso'u nythod neu'n clwydo ysgwydd wrth ysgwydd ar frigyn gerllaw yn meddwl am y peth.

Wrth gwrs, ymestyniad y dydd sydd i gyfri am hyn. Mae wedi bod yn dric gan bobl yr ieir ers y 1930au i gynyddu'r oriau o oleuni gaiff yr adar er mwyn eu cael nhw i ddodwy. Dyma pam maen nhw'n cadw ieir mewn siediau caeëdig hefo lampau, fel ei bod yn bosib rheoli faint o oriau o olau dydd maen nhw yn ei gael. Felly, ar ôl rhoi cyfnod o ddyddiau gweddol fyr i'r ieir – maen nhw'n cynyddu'r oriau, a Hei Presto(!) fe ddônt i ddodwy! Dyna sut mae'n bosib cael wyau yn hawdd, a rhad, rownd y flwyddyn yn lle cael peth mwdradd o wyau yn y gwanwyn a phrinder yn y gaeaf.

Os deil y tywydd yn dyner fe fydd rhai o'n hadar bach brodorol ni yn nythu yr adeg hon o'r flwyddyn. Mae 'na sawl adroddiad am ditws, robinod coch, bronfreithod ayyb yn nythu cyn gynhared â Ionawr yn does?

Wel, mae hynny yn sicr yn dipyn o risg. Ond, ar y llaw

arall, pe bai'r tywydd yn dal yn dyner a bod yna ddigon o fwyd i'r cywion fe fydd y wobr yn werth chweil. Hynny yw, pe llwydda'r adar i fagu nythaid gynnar, fe fyddai digon o amser i fynd ati i gael ail hatshed a hyd yn oed trydedd hatshied erbyn canol yr haf. Ac, wrth gwrs, fe fyddai gan y cywion cynnar fantais aruthrol – o gael y gwanwyn a'r haf ar ei hyd i ddysgu a magu profiad. Byddai hynny yn cynyddu eu siawns o oroesi'r gaeaf nesaf yn aruthrol!

Ond, chydig iawn, iawn o nythod cynnar sy'n llwyddo – dyna pam y dywediad: 'Os cân yr adar yn Ionawr, byddant yn crïo cyn C'lanmai!' Cawn weld. Gyda'r hinsawdd yn cynhesu'n raddol, efallai y byddan nhw'n llwyddo yn llawer amlach yn y dyfodol.

DATHLU DWYNWEN

Ar 25ain Ionawr bydd yn ddydd Santes Dwynwen – santes y cariadon yma yng Nghymru ynde? Wel, hynny ydi, y cariad pur, ysbrydol hwnnw sydd ddim byd i'w wneud hefo rhyw wrth gwrs. Ia, mae peth felly yn fwy cysylltiedig â Gŵyl Ffolant ymhen rhyw 3 wythnos yn dydi?

A phwy oedd Dwynwen? Tywysoges oedd yn well ganddi fynd yn lleian na gorfod priodi rhywun nad oedd yn ei pharchu hi. Tyfodd ei chwlt yn ystod yr Oesoedd Canol a byddai'r claf o gariad yn pererindota i Ynys Llanddwyn i offrymu yn Ffynnon Dwynwen a gweddïo yn ei heglwys.

Fe ddaeth Santes Dwynwen yn boblogaidd yn ystod Oes Fictoria. Dyna pryd yr oedd pobl yn ceisio'r rhoi'r argraff eu bod yn barchus drwy edrych i lawr ar y cariad corfforol a gynrychiolid gan Ffolant – rhyw ymgais i ddad-rywio cariad de'cini! – ella buasai dirywio(!) yn gywirach term – be ydach chi'n feddwl? Yna fe atgyfodwyd poblogrwydd Dwynwen yn y 1960au – ond am resymau cenedlaethol y tro hwn – am ei bod hi'n Gymraes ynde? Chwarae teg iddi. Dyna pryd y dechreuodd Gwasg y Lolfa gynhyrchu cardiau Santes Dwynwen. Eironig rhywsut – bod Oes y Rhyddid Rhywiol yn arddel Dwynwen o bawb fel symbol cariad.

GORCHWYLION AMAETHYDDOL

Doedd yr hen bobl ddim yn rhyw hoff iawn o dywydd tyner, gwlyb yn Ionawr. Roedd yn llawer gwell gan y ffermwr, a'r garddwr o ran hynny, gael tipyn o rew ac eira yn hytrach na gwlybaniaeth a mwd. Dyna pam y gelwid eira yn 'faeth Ionawr' ac y ceid y dywediad: 'Tir dan eira – bara; Tir dan ddŵr – newyn'. Nid proffwydo tywydd ffafriol i'r cynhaeaf oedd hwn ond nodi effaith y tywydd ar y pridd – oedd, wrth gwrs, yr un cyn bwysiced, h.y. byddai rhew yn lladd trychfilod a llacio'r pridd tra byddai dŵr yn gwneud y pridd yn oer a gwlyb, fyddai'n anoddach i'w aredig ac yn llawer llai ffafriol i'r egin.

Mae dechrau'r flwyddyn yn dymor aredig ar gyfer yr ŷd. Fe gofnododd Myrddin Fardd rigwm am hynny yn *Llên Gwerin Sir Gaernarfon* ddechrau'r ganrif ddiwethaf:

'A heuo'i geirch yn Ionor – gaiff aur a phres a thrysor,
Ond yr hwn a heuo'n Mai – gaiff wneud y tro ar lawer llai.'

Gorchwylion amaethyddol eraill pwysig yr adeg hon o'r flwyddyn fyddai teilo'r caeau, cau bylchau yn y cloddiau, porthi'r gwartheg yn y beudy a pharatoi i wyna. Duwcs! Pan wela'i fy oen bach cynta'r tymor 'dwi'n mawr obeithio y bydd o â'i wyneb ata'i – mae hynny'n dŵad â lwc dda a chyfoeth yn dydi? Ond os fydd o â'i din ata i, wel … tlawd fydda i am weddill y flwyddyn – eto fyth!

Ar gyfer porthi byddai'n rhaid malu ŷd wedi iddo gael ei ddyrnu o'r ysgubau gan y dyrnwr mawr. Fe fyddai hwnnw yn gwneud ei rownds drwy'r gaeaf ac yn ymweld â phob fferm yn ei thro o leia unwaith – yn yr hydref fel arfer er mwyn cael bwyd i'r gwartheg pan gânt eu rhoi i mewn am y gaeaf ym mis Tachwedd. Ond, yn enwedig ar y ffermydd mwyaf, byddai'n rhaid cael y dyrnwr yn ei ôl am ail ddyrniad tua diwedd Ionawr – fel y byddai'r biniau ŷd yn gwagio, a hefyd fe fyddai angen ŷd i'w hau.

Fe fyddai dyfodiad y dyrnwr mawr yn dipyn o achlysur a chymdogion yn helpu ei gilydd ac yn cael llawer iawn o hwyl.

Mae'n fy atgoffa o hen rigwm a glywais i yn ardal Nefyn ryw dro:

'Mae'r dyrnwr mawr yn dyrnu, yn rhuo fatha llew
Yn llyncu teisi cyfan – peth od na f'asa fo'n dew!'

Nodiadau ar gyfer mis Ionawr

chwefror

GŴYL FAIR Y CANHWYLLAU

Ar 2il Chwefror, bydd yn Ŵyl Fair y Canhwyllau. Gŵyl eglwysig yw hon bellach, yn dathlu purdeb y Forwyn Fair a chyflwyno'r Iesu yn y Deml. Y 'canhwyllau' yw'r rhai a ddefnyddir i oleuo'r eglwys ar gyfer yr offeren. Ond mae'n ddifyr meddwl fod yr ŵyl grefyddol bwysig hon yn seiliedig ar rywbeth llawer iawn hŷn sef yr hen ŵyl baganaidd a elwid yn Ŵyl y Goleuni.

Roedd hon yn disgyn hanner ffordd union rhwng Calan Gaeaf (1af Tachwedd) a Chalan Mai (1af Mai) ac yn un o'r wyth gŵyl fawr flynyddol a ddethlid gan yr hen Geltiaid paganaidd. Yn y cyfnodau cynnar cawsai ei nodweddu gan danau coelcerthi. Yn y rhain y llosgid y celyn gwarcheidiol oedd wedi'i gadw'n ofalus ers y Dolig (neu, yn hytrach, y gwyliau paganaidd oedd yn dathlu'r dydd byrraf). Taenid lludw'r celyn wedyn ar y pridd fel gwrtaith i'r ŷd fyddai'n cael ei hau yr adeg yma. Roedd Gŵyl y Goleuni felly yn adlewyrchu goleuni'r coelcerthi a hefyd, wrth gwrs, byddai'n cydnabod yr estyniad amlwg oedd i'w weld erbyn hyn yn hyd y dydd wrth i'r haul gryfhau a dechrau ennill y frwydr dymhorol yn erbyn y tywyllwch.

Ond nid cynnau coelcerthi yn unig fyddai'n digwydd. O na! Roedd yr hen Geltiaid yn credu'n gryf mewn efelychu'n seremonïol yr hyn oedd yn digwydd o'u cwmpas ym myd natur ac ar y tir. Felly, os oedd hi'n dymor i blannu had ym mol y fam ddaear – wel... oes angen dweud mwy? Dyna pam fod hwn yn dymor y cariadon ynde?

Fel 'sach chi'n feddwl, doedd yr eglwys ddim yn hapus iawn hefo'r holl hanci-panci fyddai'n digwydd ac fe geision nhw roi stop ar bethau. Aeth Gŵyl y Goleuni yn Ŵyl Fair y Canhwyllau – y Fair Wyryf sylwer! Cymerodd canhwyllau'r offeren le'r goelcerth a chymerodd lludw'r edifeirwch (sef yr elfen sy'n gysylltiedig â sach liain a lludw) le lludw'r gwrtaith. Dyna sydd y tu ôl i ddydd Mercher y Lludw – diwrnod i weddïo am faddeuant am eich pechodau.

Hyd at ganol y 18fed ganrif roedd cryn fri ar Ŵyl Fair y Canhwyllau. Byddid yn canu carolau arbennig a byddai pobl yn gwaseila o ddrws i ddrws. Ond gyda thwf Protestaniaeth ac Anghydffurfiaeth dirywiodd yr arfer wrth i'r sylw i'r Fair eglwysig leihau. Erbyn hyn, heblaw am wasanaethau eglwysig, chydig iawn o sylw gaiff Gŵyl Fair y Canhwyllau ar y dyddiad hwn.

Caiff yr hen Ŵyl Fair (13eg Chwefror) fwy o sylw oherwydd pwysigrwydd y dyddiad yn y drefn amaethyddol a hefyd ei hagosatrwydd at Ŵyl Ffolant (14eg Chwefror).

MIS BACH, MAWR EI ANGHYSURON

Ni fu Chwefror erioed y mis mwyaf poblogaidd o'r deuddeg. Y peth gorau amdano, yn ôl rhai, ydi ei fod o'n fyrrach na'r misoedd eraill! A hynny am ei fod yn bur aml yn medru bod yn ddigon annifyr, stormus ac anwydog – y 'mis bach – mawr ei anghysuron!' yn ôl yr hen ddywediad.

Yn union fel ym mis Ionawr, doedd pobl ddim yn hapus o weld tywydd tyner yn Chwefror – sy'n cyfri am y llu o hen ddywediadau tymhorol sy'n gwarafun tywydd tyner am y credid y byddai hynny'n difetha'r tywydd am weddill y flwyddyn – yn enwedig yn yr haf, adeg y cynhaeaf. Dyma ichi rai:

'Mae pob mis o'r flwyddyn yn melltithio Chwefror teg' – dyna'i d'eud hi ynde?

'Chwefror teg yn difetha'r un ar ddeg,' yn un arall.

'Os cân yr adar cyn Gŵyl Fair (13eg Chwefror) – Byddant yn crïo cyn C'lanmai' h.y. gall tywydd braf yn Chwefror dwyllo'r adar i nythu'n rhy gynnar sy'n beryglus oherwydd mae siawns dda y newidith er gwaeth cyn Mai ac i oerfel y gogledd ddod i ddifetha'r cwbwl.

A beth am y dywediad hwn am ganol y mis:

'Os bydd hi'n braf ar hen Ŵyl Fair [13eg Chwefror], Cwyd yn fore i brynu gwair' (h.y. fe geir tywydd mor wael adeg y cynhaeaf nes bydd y gwair yn ofnadwy o brin!). Ond, ar y llaw arall: 'Os bydd hi'n eira ac yn lluwch, Cwyd yn fore i brynu buwch' (h.y. fe fydd cymaint o wair nes bydd eisiau buwch ychwanegol i'w fwyta fo i gyd!).

Ond peidiwch â phoeni'n ormodol oherwydd chydig iawn o goel sydd i'r arwyddion tymhorol 'ma. Mae dynion y Swyddfa Dywydd wedi bod yn astudio'r ystadegau tywydd – ceir cofnodion manwl sy'n mynd yn ôl dros ganrif a hanner erbyn hyn – ac wedi methu'n lân â phrofi fod tywydd y gaeaf yn effeithio ar dywydd yr haf. Difyr ynde? – bod y coelion tymhorol 'ma mor gry' (a hynny drwy Ewrop gyfan) a chyn lleied o sail iddyn nhw. Y goel yn gryfach na'r gwirionedd, mae'n amlwg. Neu bod neges yr eglwys yn yr Oesoedd Canol – bod raid ichi ddioddef yn y byd hwn i haeddu'ch lle ym mharadwys yn nes ymlaen – wedi ymdreiddio hyd yn oed i ddehongliad pobl o dywydd y tymhorau!

Ond, hyd yn oed os deuai eira yn Chwefror, doedd yr hen bobl ddim yn disgwyl iddo fo bara yn hir chwaith, oherwydd, yn ôl un hen ddywediad: 'Ni saif eira mis Chwefrol fwy nag ŵy ar ben trosol'.

DIWRNOD CREMPOG

Dydd Mawrth Ynyd (Ynyd yn tarddu o'r gair 'penyd', sef gwneud iawn am eich pechodau) neu ddiwrnod crempog yw un o'r ychydig wyliau sy', o ran ei gweithred o leiaf – sef gwneud crempogau – wedi aros yn weddol ddigyfnewid. Efallai bod ei hystyr grefyddol wreiddiol, sef gwledda cyn cychwyn ympryd y Grawys am ddeugain niwrnod cyn y Pasg, wedi colli ei ystyr i lawer ond fe barhaodd gwneud y crempogau mor boblogaidd ac erioed. Ar yr un pryd, yn rhyfeddol, arhosodd yn arfer teuluol a llwyddodd y crempogau i osgoi cael eu masnacheiddio.

Mae dyddiad y dydd Mawrth arbennig hwn yn symudol, h.y. gall ddigwydd ar wahanol ddyddiadau dros gyfnod o bron i fis rhwng 12fed Chwefror a 10fed Mawrth. Ond mae bob amser ddeugain niwrnod cyn y Pasg. Ac am fod y Pasg, sy'n un o dair brif wyliau'r flwyddyn Gristnogol (y Dolig a'r Sulgwyn yw'r ddwy arall), yn dibynnu ar gyflwr y lleuad yn hytrach na rhyw ddyddiad sefydlog yn y calendr, mae'n dilyn bod yr

Ynyd, a'r Sulgwyn, sydd 50 niwrnod ar ôl y Pasg, hefyd yn symudol.

Ar un adeg fe fyddai cryn firi cymdeithasol ar Fawrth yr Ynyd am mai dyma'r cyfle olaf am dipyn o hwyl cyn ympryd y Grawys. Arferid ymladd ceiliogod, chwarae pêl-droed a byddai'r plant yn mynd o dŷ i dŷ yn canu caneuon i ofyn am grempogau. Fe barhaodd yr arfer hwn hyd ganol yr 20fed ganrif, a chenid caneuon megis:

Modryb Elin ennog,
Mae 'ngheg i'n grimp am grempog;
Mae Mam yn rhy dlawd i brynu blawd,
A Siân yn rhy ddiog i nôl y triog,
A 'Nhad yn rhy wael i weithio –
Os gwelwch yn dda ga'i grempog?

Y GRAWYS

Roedd ympryd y Grawys yn cyfateb i'r deugain niwrnod y bu Crist yn ymprydio yn yr anialwch pan gafodd ei demtio gan Satan. Dechreuai ar ddydd Mercher y Lludw, y diwrnod ar ôl yr Ynyd. Ar y dydd Mercher hwnnw arferai pobl fynd i'r eglwys i weddïo am faddeuant am eu pechodau. Byddid yn gwisgo sachliain a rhoddid lludw ar bennau pobl a gwnaed arwydd y groes ag ef ar y talcen.

Roedd y lludw yn adleisio'r hen ŵyl baganaidd, Gŵyl y Goleuni, a gynhelid ganol Chwefror pan losgid mewn coelcerth y celyn gwarcheidiol oedd wedi amddiffyn y tŷ a'r anifeiliaid rhag drwg dros gyfnod y dydd byrraf. Byddai lludw'r goelcerth wedyn yn cael ei wasgaru ar y caeau fel gwrtaith ac i warchod yr egin oherwydd mae bellach yn dymor hau.

YR HEN ŴYL FAIR

Ar y 13eg o Chwefror, mae hi'n Hen Ŵyl Fair ac ar y 14eg yn Ŵyl Ffolant – gŵyl y cariadon. Felly os oeddech chi wedi anghofio gyrru cerdyn i'ch cariad ar Ddygwyl Dwynwen ar 25ain Ionawr, dyma ichi ail gyfle!

I'r amaethwr roedd yn bwysig fod Gŵyl Fair yn disgyn hanner ffordd union rhwng G'langaea, pryd y rhoddid y gwartheg i mewn dros y gaeaf, a G'lanmai, pryd y'u gollyngid allan. Felly, am fod angen eu bwydo, neu eu porthi dros y gaeaf byddai'r ffermwr yn mynd i'r gadlas ar Ŵyl Fair ac yn gobeithio gweld o leiaf hanner y das wair ar ôl – i fedru para am weddill y gaeaf. Y dywediad fyddai: 'Hanner y gwair erbyn Gŵyl Fair' ynde?

Byddai'r gweision yn cofio Gŵyl Fair hefyd. Roedd hi bellach hanner ffordd drwy eu tymor cyflogaeth nhw am hanner gaeafol y flwyddyn. Wrth gyflogi am y gaeaf, fe fyddent wedi deall yn iawn mai yn neupen y tymor y byddai'r amodau ar eu gorau iddyn nhw, ac mai yng nghanol y tymor y byddai pethau waethaf.

Hynny yw, pan fyddai'r gwas yn cychwyn ei dymor – adeg ffair G'langaeaf – fe fyddai'r meistr yn garedig a'r bwyd yn dda. Ac fe fyddai'n dda hefyd at ddiwedd y tymor wrth nesu at ffair G'lanmai, pan fyddai'r meistr yn ffalsio er mwyn ei berswadio i aros ymlaen – hynny ydi, os oedd o'n werth ei gadw mlaen, yn naturiol! Ond yng nghanol y tymor – dyna pryd y byddai pethau galetaf. Y meistr yn gas a'r bwyd yn llwm. Dim rhyfedd felly bod hen rigwm yn disgrifio hynny – ac yn mynd fel hyn:

Daw C'lanmai, daw C'lanmai, daw defaid ag ŵyn;
A'r mistar a'r fistras i siarad yn fwyn
A finnau fel arfer yn coelio 'r un gair,
O gofio y coegni a gefais Ŵyl Fair!

GŴYL SANT FFOLANT

Ymgais yr eglwys i dynnu'r min oddi ar elfennau rhywiol yr hen Ŵyl y Goleuni baganaidd oedd penodi Sant Ffolant yn sant y cariadon. Roedd Ffolant, gyda llaw, wedi ymwrthod â chariad corfforol, yn union fel ein Dwynwen ni. Y cariad ysbrydol, pur, oedd y seintiau yn ei gynrychioli, wrth gwrs, ynde?

BLODAU'R GWANWYN A CHYWION GWYDDAU

Rhyw chwarae mig hefo ni fydd y tywydd yr adeg hon o'r flwyddyn – tyner un diwrnod yn tynnu blodau'r gwanwyn o'u plygion a'r diwrnod canlynol oerfel yn eu hatgoffa i gadw'u pennau 'lawr am sbel. Ond dyna ydi natur Chwefror dwyllodrus.

Mae'r catalog o wahanol flodau'r gwanwyn yn cynyddu'n gyflym erbyn hyn – eirlysiau, saffrwm, llygad Ebrill, briallu, llygad y dydd, cynffonnau ŵyn bach ar y coed cyll a rhai ar y coed gwern hefyd. Mae blodau pinc y coed ceirios yn y gerddi i'w gweld mewn ambell le yn ogystal â'r blodyn gardd bach arall 'na – y perfagl (*periwinkle*) bach glas – neu, fel mae pobl Ceredigion yn ei alw: 'blodyn dail at bob clwy', sy'n enw da yn dydi? Bydd cnwd o gennin Pedr erbyn canol y mis hefyd, fel arfer, yn barod i groesawu Dygwyl Dewi.

Mae 'na lawer o ddail allan yng ngodrau'r gwrychoedd hefyd – er enghraifft dail pidyn y gog, dail tafol, dail suran a dail poethion ('dynad' i chi bobl y de). Gwyliwch y dail poethion – mae eu pigiad yn eithriadol o ffyrnig yr adeg yma o'r flwyddyn! Er hynny, os pigwch y blaenau ifanc hefo maneg fe gewch ddeunydd i wneud cawl hynod o flasus. Fe gofnododd yr hen Fyrddin Fardd ddywediad bendigedig am yr holl blanhigion sy'n dechrau 'stwyrian yr adeg yma o'r flwyddyn: 'Chwefror a leinw y cloddiau, Mawrth a'u twf yn foleidiau.'

Ydach chi wedi sylwi ar yr holl flodau eithin sy' o gwmpas 'ta? Maen nhw wedi bod hefo ni bron drwy'r gaeaf yndo?

Ac o! Fe fyddai'n falch o weld y cywion gwydda' bach melyn cyntaf ar y coed helyg y mis yma. Mae'r rhain yn arwyddion bod y tymor yn dechrau deffro o ddifri.

Ond un rhybudd i chi amaethwyr sy'n magu gwyddau (er mai chydig iawn sy'n gwneud hynny erbyn hyn o'i gymharu â phan o'n i'n ifanc) peidiwch â dŵad a chywion gwyddau'r helyg i'r tŷ ar unrhyw gyfri – neu, yn ôl un hen goel o'r Gororau, fydd ganddoch chi ddim cywion gwyddau go iawn – ddim mwy na ddylsech chi ddod â chynffonnau ŵyn bach i'r tŷ chwaith, rhag i hynny leihau'r nifer o ŵyn bach go iawn gewch chi. A thra bod ni wrthi – peidiwch â dŵad ag eirlysiau i'r tŷ oherwydd fe fyddai hynny'n gwahodd anlwc, a marwolaeth, yn y teulu. Yr hyn sydd y tu ôl i'r coelion hyn mae'n debyg yw bod peryg, os dowch chi â blodau i'r tŷ yn rhy gynnar, eich bod yn rhyfygu drwy gymryd y gwanwyn yn rhy ganiataol – a wnaiff hynny ddim ond tynnu dial ac anlwc ar eich pen. Ddylsech chi ddim pigo blodau gwylltion beth bynnag. Rheswm da i beidio felly ynde?

Fel mae hi'n dŵad yn dymor cywion gwyddau'r helyg fe ddaw'n dymor i'r ŵydd go iawn ori hefyd yn daw? Fe fyddai 'nhad yn arfer dŵad a'r cywion bach newydd ddeor i'r tŷ am ysbaid fer, i g'nesu a sychu, yn saff rhag llygod mawr. Pan o'n i yn yr ysgol gynradd roedd hynny yn un o uchafbwyntiau'r flwyddyn – pan gawswn anwylo'r pethau bach fflyffi, clws yma – cyn iddyn nhw fynd allan yn eu holau.

LLYFFANTOD

Mae hi'n dymor i'r llyffantod hefyd. Fe fydda'i wrth fy modd yn eu clywed yn canu grwndi yn y pyllau ym Mhenrhyndeudraeth – ac yn cynhyrchu llond y lle o grifft llyffant ar ôl hynny. Os ydach chi wedi gweld pyllaid o lyffantod wrthi yn eu 'parti gwneud grifft' – mae'n olygfa ryfeddol. Cydmaru maen nhw, wrth gwrs, a digon hawdd nabod y rhai benyw, sy'n anferth, hefo o leiaf un, neu weithiau ddau neu dri o rai gyrfod, llai, yn ymladd i gael gafael amdani rownd ei gwddw o'r cefn – i gael eu hunain i'r safle fwyaf manteisiol i ffrwythloni'r wyau fel mae'r fenyw yn eu gollwng i'r dŵr.

Fe gredai pobl ar un adeg mai llyffantod ifanc, blwydd oed, oedd y rhai gwryw ac mai llyffantod dyflwydd oedd y rhai mawr. Weithiau bydd ambell fenyw yn cael ei lladd (ei thagu) yn yr ymladdfa boeth rhwng y gyrfod! Hynny sy' tu ôl i'r dywediad am y 'llyffant blwydd yn lladd y dyflwydd' ynde? Roeddwn i yn clywed y dywediad hwnnw'n reit amal erstalwm pan oeddwn i'n gwneud drygau ac achosi poendod i'm rhieni – 'y llyffant blwydd diawl!' fyddwn i 'radeg honno!

Nodiadau ar gyfer mis Chwefror

Mawrth

DYDD GŴYL DEWI

Oni ddylsai Dydd Gŵyl Dewi, neu Ddygwyl Dewi, fod yn wyliau swyddogol d'wch? Mae pob gwlad gall drwy Ewrop yn cael gwyliau ar ei dydd cenedlaethol, felly pam na chawn ninnau? Ella y digwyddith hynny ryw ddydd – pan fyddwn ni wedi magu digon o barch at ein gwlad ein hunain, hynny yw.

Dewi sefydlodd y fynachlog yng Nglyn Rhosyn yn y 6ed ganrif a throi'r Gwyddelod oedd am ymosod arni yn Gristnogion. Yn ddiweddarach fe ddaeth y safle yn ganolfan bwysig iawn i'r Eglwys Geltaidd gynnar a chedwid cysylltiad agos â gweddill y byd Celtaidd ar hyd llwybrau'r môr. Erbyn heddiw mae cadeirlan hardd Tyddewi yno yn werth ei gweld, yn enwedig yr adeg hon o'r flwyddyn, gyda'r holl gennin Pedr o'i chwmpas.

Gyda llaw mae Dewi, yn ogystal â bod yn nawddsant cenedlaethol inni yn nawddsant y môr, oherwydd cysylltiadau morwrol amlwg Tyddewi yng nghyfnod yr Eglwys Geltaidd mae'n debyg. Mae Dewi hefyd yn nawddsant y preiddiau – oherwydd bod Dygwyl Dewi yn cyd-ddigwydd â'r tymor wyna, wrth gwrs (h.y. tymor wyna'r defaid mynydd). Mae'r ŵyn bach yn cynrychioli diniweidrwydd hefyd – sy'n rhinwedd clodforus iawn yn llygaid yr eglwys. Ond er fod Dewi'n edrych ar ôl y defaid a'r ŵyn, 'dydi o ddim yn edrych ar ôl y ffermwr cweit cymaint – llysieuwr oedd o, ac felly ddim llawer o help i'r farchnad gig yn sicr!

DATHLU'R ŴYL

Mae'r arfer o gymdeithasau'n cynnal cyfarfod neu ginio Gŵyl Dewi yn hen iawn. Yn sicr mae'n un o uchafbwyntiau'r flwyddyn i gymdeithasau Cymraeg dramor. Dyma ran o adroddiad o'r *Gwladgarwr*, Ebrill 1836 sy'n dangos nad ydi pethau wedi newid llawer ers y cyfnod hwnnw: ' . . . y mae gan y Sefydliadau ymysg y Cymry yn Lloegr eu "Gŵyl Ddewi", pan y maent hwy a'u hewyllyswyr da yn ymgyfarfod â'u gilydd, ac yn ymddyddan y naill a'r llall . . . gan draddodi weithiau areithiau cynhyrfiadol ar wladgarwch a chyweithasrwydd [= cyfeillgarwch] cenedlaethol nes y mae hydewyd [= brwdfrydedd] newydd yn cael ei ennyn ymhob mynwes, a haelioni ychwanegol yn dylifo o bob llogell.'

CENNIN A CHENNIN PEDR

Yn ôl un traddodiad, Dewi awgrymodd wrth Cadwaladr, brenin y Cymry, oedd ar ei ffordd i frwydro yn erbyn y Sacsoniaid, y dylsai'r milwyr Cymreig wisgo cenhinen i fedru nabod ei gilydd yn haws yn y frwydr. Digwyddodd hynny ym mrwydr Meigen yn y 6ed ganrif meddan nhw, a bu'r Cymry'n fuddugol!

Mae cennin yn dda iawn i yrru ysbrydion drwg ymaith ac i buro'r gwaed, felly be' yn well i'w gario hefo chi i'r frwydr! Roeddwn innau'n arfer mynd â chlamp o genhinen hefo fi i frwydrau ar un adeg hefyd – h.y. i gemau rygbi pan o'n i'n beth ifanc a gwirion! Roedd cenhinen yn handi iawn i'w chwifio o gwmpas yn ystod y gêm ac i'w bwyta'n amrwd efo peint neu ddau – neu dri wedyn! Defnyddiau eraill i'r genhinen, gyda llaw (yn ôl Meddygon Myddfai), oedd i wella brathiad gwiber, ei chymysgu â bustl gafr i wella byddardod ac fe fyddai merched yn bwyta cennin os oedden nhw eisiau beichiogi. Dyma IVF yr hen bobl mae'n amlwg!

Mae'r genhinen Bedr yn fwy cysylltiedig â Non, sef mam Dewi, am fod cymaint o'r blodyn hardd yma yn arfer tyfu yn Nyffryn Aeron lle ganed ei mab. Mabwysiadwyd y genhinen Bedr yn arwyddlun cenedlaethol Cymru yn 1907, dan anogaeth Lloyd George. 'Dwi'n dal i feddwl mai'r genhinen ddylsai fod yn arwydd inni rywsut – ond dyna fo, o leia mae'r genhinen Bedr yn weladwy; yn ei hanterth erbyn Dygwyl Dewi fel arfer, a hefyd mae ei lliw melyn yn cyfateb i'r groes felen ar gefndir du ar faner Dewi Sant. Fymryn bach yn fwy sidêt na'r genhinen efallai, ond yn gwneud i'r dim, serch hynny.

Rhwng canol a diwedd y mis mae'r cennin Pedr i fod i flodeuo fel arfer – ar gyfer Dygwyl Dewi siŵr iawn. Ond maent yn blodeuo'n gynharach bob blwyddyn bron erbyn hyn – cyn y Dolig hyd yn oed yn 2007.

YR UFFARENDWM

Ydach chi'n cofio'r adeg pan fethodd y cennin Pedr â blodeuo yn eu pryd? – a hynny ar adeg pan oedd eu gwir angen nhw? 'Dwi'n mynd yn ôl rŵan i 1979, blwyddyn yr Uffarendwm hwnnw, pan gawsom ni gyfle – ar 1af Mawrth – i bleidleisio dros Senedd i Gymru, neu beidio. Y genhinen Bedr oedd arwydd yr ymgyrch 'Ie' a mawr oedd y gobaith y byddai'r blodau melyn yn blastar hyd bob man yn rhoi hwb i'r achos. Ond am ei bod yn dymor hwyr iawn, welwyd dim melyn yn unlle am o leiaf wythnos arall! Wel dyna siom! – a dim rhyfedd i'r ymgyrch fethu! A'r wers yw, mae'n siŵr gen i, os ydach chi am drefnu rhywbeth tebyg eto – wel dewiswch flwyddyn pan fo'r tymhorau'n gynnar, ac fe fydd ganddoch chi lawer gwell siawns o lwyddo!

I MEWN FEL LLEW . . .

Mae'r hen ddywediad am 'Fawrth yn dŵad i mewn fel llew ac allan fel oen', neu i'r gwrthwyneb, yn medru bod yn eithaf agos i'w le ar adegau. Fel arfer fe geir amrywiaeth eithriadol o dywydd yn ystod y mis, fel bod siawns dda na fydd yn gorffen fel y dechreuodd.

Y rheswm am hynny ydi bod y Gogledd Pell erbyn hyn ar ei oeraf – ar ôl nosweithiau oer hirion a thywyllwch cyson am fisoedd lawer. Ar yr un pryd mae'r trofannau ar eu poethaf am fod yr haul – wel, fe fydd erbyn y gyhydnos (21ain Mawrth) – yn union uwchben y cyhydedd. Am fod nerth y cylchdro atmosfferig yn dibynnu ar y gwahaniaeth tymheredd rhwng y pegynnau a'r cyhydedd gallwn ddisgwyl, felly, fwy o symud atmosfferig ac ansefydlogrwydd – a mwy o stormydd. Gelwir y rhain yn 'stormydd y gyhydnos', neu '*equinoxial gales*' yn Saesneg. Fe'u cewch nhw yr adeg hon o'r flwyddyn – a hefyd adeg cyhydnos yr hydref yn arbennig, pan gawn ni lach cynffonnau'r hyricêns chwythith drosodd o Ogledd America ddiwedd yr haf.

Felly, byddwch yn ofalus – fe all Mawrth fod yn ofnadwy o dwyllodrus. Mae stori o wlad Groeg bod Mawrth wedi gwylltio cymaint hefo gwraig oedd wedi meiddio ei alw o yn un o fisoedd yr haf, nes iddo fenthyca diwrnod oddi ar ei frawd Chwefror a'i rhewi hi a'i phreiddiau i farwolaeth! Cas ynde?!

DYWEDIADAU ERAILL

Mae llawer iawn o ddywediadau eraill am dywydd mis Mawrth, dyma ichi rai:

'Ni saif eira fis Mawrth,
Fwy na menyn ar dwym dorth.'

– sy'n newyddion da yn dydi?

A'r dywediad o Lŷn:

'Am bob diwrnod o dywydd braf ym Mawrth – fe geir wythnos o dywydd braf yn yr haf.'

'Ni fynn Mawrth i Chwefror dyfu' neu 'Chwefror yn gwneud pont a Mawrth yn ei thorri' – h.y. os ydi Chwefror yn dyner fe fydd Mawrth yn oer.

Un arall i gyplysu Chwefror a Mawrth ydi:

'Chwefror a chwyth,
Ni chyfyd neidr oddi ar ei nyth,
Ond Mawrth cadarn a'i tynn hi allan'

– sy'n golygu ei bod yn bosib cael tywydd eithaf cynnes/heulog ym Mawrth, fel y gwelwn yn:

'Gwynt Mawrth a haul y borau
Wna'r forwyn wen yn forwyn winau'.

O sôn am nadroedd a mis Mawrth, fe soniodd Meddygon Myddfai yn y 13eg ganrif y dylsech fod wedi cadw unrhyw groen neidr gawsoch chi adeg y cynhaeaf ŷd fis Medi y llynedd, ac ym Mawrth, pan fo'r lleuad ar ei chynnydd dan arwydd Aries yr Hwrdd fe ddylsech losgi'r croen. Bydd y lludw y peth gorau gewch chi i wella clwyfau – ac yn garantîd i'w gwella'n llwyr o fewn tridiau!

'Mawrth a ladd, Ebrill a fling
Rhwng y ddau adawan nhw ddim!'

'Mawrth oerllyd a gwyntog
Ac Ebrill cawodog,
Ill dau wnant rhyngthynt
Fai teg a godidog'

neu un tebyg:

'Gwyntoedd Mawrth, cawodydd Ebrill – Ddygant allan flodau Mai' – clws ynde?

'Mawrth sych – pasgedig ŷch.' Mae 'na amryw o ddywediadau yn gweld rhinwedd mewn tywydd sych, oer – i lacio'r pridd a lladd trychfilod, e.e. 'Mae llond gwniadur o lwch Mawrth yn werth bwcedaid o aur', neu ' … gydwerth a phris gollyngdod brenin' (Myrddin Fardd, yn *Llên Gwerin Sir Gaernarfon*, 1908). Gyda llaw, pridwerth *(ransom)* mae 'gollyngdod brenin' yn ei olygu – dim byd i'w wneud hefo effeithiau jolop neu senna pods!!

SUL Y MAMAU

Fe fydd yn Sul y Mamau ar y pedwerydd Sul – y Sul hanner ffordd drwy'r Grawys. Peidiwch ag anghofio, chi blant a dynion – wnaiff gwraig y tŷ ddim!

Mae Sul y Mamau yn hen, hen ŵyl eglwysig yn tarddu o'r arfer o ymweld â'r Fam Eglwys, h.y. fe fyddai hogia a merched ifanc fyddai i ffwrdd o gartref yn gweini neu ar brentisiaeth yn cael dŵad adre dros y Sul arbennig yma. Fe fyddai gwasanaeth eglwysig i gofio Mair ei hun ac, wrth gwrs, i dalu teyrnged i famau yn gyffredinol. Fe fyddid hefyd yn bendithio'r rhoddion i'r fam a gwnaed casgliad arbennig – ond i'r eglwys fyddai hwnnw'n mynd. Yr anrhegion fyddai tusw o fioledau, amrywiol bethau bach wedi'u gwneud gan y plant, a hefyd Cacen Grawys (rhywbeth tebyg i gacen Dolig oedd honno) neu rhyw gacennau bach a elwid yn biogod. Byddai pawb yn gwneud gwaith y tŷ am y diwrnod, a'r fam yn cael diwrnod i'r Frenhines fel 'tae.

Roedd yr arferion Sul y Mamau hyn wedi diflannu, fwy neu lai, erbyn dechrau'r ganrif ddiwethaf. Ond fe'u hadferwyd adeg yr Ail Ryfel Byd dan ddylanwad yr holl filwyr Americanaidd (y GIs) ddaeth i Ewrop. Dyma enghraifft o hen arfer oedd wedi mynd drosodd i'r America ac yna yn dychwelyd ac ailgydio ymhen amser ar ei newydd wedd seciwlar. Fel y gwelwn ar dudalennau'r gyfrol hon, fe ddigwyddodd rywbeth tebyg yn achos sawl hen ŵyl arall yn ystod y flwyddyn e.e. yr Halowîn ac elfennau o'r Dolig.

SUL Y PYS

Ydach chi'n gyfarwydd â'r hen ddywediad – y bydd raid ichi 'aros tan Sul y Pys', neu aros am byth i rywbeth ddigwydd? Wel, wyddoch chi mai Sul y Pys ydi pumed Sul y Grawys ac mae o'n digwydd bob blwyddyn wrth gwrs. Felly be sy' tu ôl i'r dywediad? Wel, yn yr hen amser roedd yn arferiad bwyta pys neu ffa yn yr Wylnos gynhelid cyn angladd rhywun. Gwreiddyn y dywediad felly ydi y bydd raid ichi aros tan i rywun farw cyn y cyflawnith ei addewidion – ac fe fydd yn rhy hwyr bryd hynny beth bynnag, oni bydd?

Adeg Sul y Pys – pumed Sul y Grawys – cawn ein hatgoffa bod yr Iesu yn mynd i gael ei groeshoelio adeg y Pasg. Fe fyddai pys yn un o fwydydd ympryd y Grawys, ond ar gyfer y 5ed Sul fe fyddent yn cael triniaeth arbennig. Pys llwyd (h.y. pys wedi eu sychu) fyddai rhain, a chyn eu bwyta fe fyddent wedi cael eu gwlychu dros nos mewn dŵr, llefrith, neu hyd yn oed mewn gwin neu seidr ac yna eu berwi neu eu rhostio. Dyna ichi amrywiad difyr ar gyfer cawl pys ynde? Rhaid ichi ei drio fo rhywdro!

Yn Llansanffraid-ym-Mechain, Powys ceid amrywiad ar y traddodiad hwn, pan fyddai mintai o bobl yn mynd â phys wedi eu rhostio i ben y Foel gerllaw, i'w bwyta yno, a chymryd dŵr o ffynnon leol yn ddiod.

FFAIR NEWYDD PWLLHELI

Ar 15fed Mawrth yr arferid cynnal Ffair Newydd Pwllheli. Roedd hon yn bwysig iawn ar un adeg a byddai pobl o gylch eang – o Ben Llŷn i Sir Feirionnydd – yn dŵad iddi i brynu hadau, yn ŷd a thatws plannu. Roedd gan bob ardal ei Ffair Hadau, e.e. Ffair Hadau Conwy ar 26ain Mawrth, a hyd yn oed yn gynharach yn ne Cymru. Er enghraifft, yn Aberteifi, arferid hau ceirch yn gynnar – gan anelu i orffen hau erbyn Ffair Caron ar 15fed Mawrth.

Roedd dyddiadau'r ffeiriau yn bwysig iawn i nodi pryd y dylsid fod wedi gorffen rhyw waith neu'i gilydd. Mewn rhai ardaloedd yn Llŷn, e.e. Madryn, fe ddylsid bod wedi gorffen aredig a thrin y tir ar gyfer y tatws, a hyd yn oed orffen plannu, os yn bosib, cyn Ffair Newydd Pwllheli.

Roedd yr hen ffeiriau yn achlysuron cymdeithasol pwysig iawn hefyd, a byddai gweision a morynion yn cyfarfod ei gilydd – ac yn cychwyn ambell i garwriaeth. Roedd 'na hen ddywediad am Ffair Newydd Pwllheli – 'cariad Ffair Newydd bery'n dragywydd'. Mae'n siŵr mai sail hynny ydi nad oedd y Ffair Newydd hanner mor wyllt a rhai ffeiriau eraill – yn enwedig y ffeiriau cyflogi – felly roedd gwell siawns i'r berthynas barhau yn doedd?

GŴYL BADRIG

Ar 17eg Mawrth, mae'n Ŵyl Sant Padrig. Fe fydd hi'n achos dathlu mawr a'i morio hi mewn Guinness i bob Gwyddel ar ei ddydd cenedlaethol.

Y shamroc ydi arwydd cenedlaethol Iwerddon – ond wyddoch chi sut y daeth y planhigyn bach tair-deilen hwnnw yn arwydd mor bwysig iddyn nhw? Fe ddigwyddodd hynny wedi i Badrig ei ddefnyddio i gyfleu ystyr y Drindod i un o Frenhinoedd Iwerddon. Bu Padrig yn ceisio ei ddarbwyllo fod y Tad, a'r Mab, a'r Ysbryd Glân, ill tri yn fynegiant o'r un Duwdod. A'r hen frenin ddim cweit yn deall:

'Sut ar y ddaear mae tri yn medru bod yn un Padrig?'

'Wel edrych ar hwn' meddai Padrig, gan godi deilen y shamroc o'r llawr. 'Weli di sut mae'r dair deilen – hefo'i gilydd – yn creu yr un patrwm cyflawn? Tynn di un i ffwrdd a dydi'r patrwm ddim yn gyflawn – dyna sut mae'r tri yn un!'

'Wel ia, siŵr iawn,' medda'r Brenin, yn ei gweld hi erbyn hyn, ac yn troi'n Gristion!

Felly, am fod y shamroc wedi bod yn help mawr i Padrig Gristioneiddio'r hen bagan hwnnw, a gweddill Iwerddon yn ei sgîl o, fe ddaeth y shamroc bach yn blanhigyn cenedlaethol Iwerddon.

Onid oedd Padrig yn athro da dwedwch? – yn gallu defnyddio pethau bach syml a gweladwy i gyfleu ei neges? Ond, wyddoch chi be? Does dim rhyfedd – oherwydd Cymro, neu o leia Brython, oedd yr hen Badrig wedi'r cyfan!

Difyr ynde? – ein bod ni a'r Gwyddelod wedi ffeirio nawddseintiau – Padrig yn Gymro, a Dewi Sant yn hanner Gwyddel, oherwydd Gwyddeles oedd Non ei fam o. 'Sgwn i pwy gafodd y fargen orau? Wel, y ddau wrth gwrs!

CYHYDNOS Y GWANWYN

Ar 21ain Mawrth, fe fydd yn Gyhydnos y Gwanwyn, pan fydd oriau'r dydd – o'r diwedd – gyhyd ag oriau'r nos. Roedd hyn yn achlysur pwysig iawn yn yr hen ddyddiau cyn-Gristnogol am ei fod yn arwydd fod pwerau'r goleuni o'r diwedd wedi trechu pwerau'r tywyllwch. Roedd yn ailenedigaeth duw'r haul – Lleu – ac fe glywch ei enw fo yn y gair 'go-Leu-ni'.

Roedd y Fam Ddaear hefyd yn deffro o'i thrwmgwsg gaeafol ac fe geid digon o brawf gweledol o hynny yn y torraeth o flodau'r gwanwyn yn y gwrychoedd ac yn gorchuddio llawr y goedwig.

Ond ychydig iawn sy' wedi para o'r hen ddefodau paganaidd i ddathlu cyhydnos y gwanwyn – sy'n rhyfeddol o feddwl fod hon yn un o 8 gŵyl fawr flynyddol yr hen Gymry. Y rheswm am hynny, mae'n debyg, ydi bod y defodau paganaidd wedi cael eu llyncu bron yn llwyr yn nathliadau'r Pasg – sydd, wrth gwrs, mor bwysig yn y calendr Cristnogol. Ac mae hi'n fwy na chyd-ddigwyddiad, gyda llaw – bod yr Eglwys Fore wedi penodi'r Atgyfodiad (neu ddathlu buddugoliaeth Crist dros farwolaeth) i gyd-ddigwydd mor agos hefo ail-enedigaeth Duw'r Haul a deffroad y Fam Ddaear!

Y PASG

Mae'r Pasg yn un o'r dair gŵyl fawr Gristnogol yn ystod y flwyddyn – y Sulgwyn a'r Dolig yw'r ddwy arall. Ond y Pasg oedd y bwysicaf o'r dair – yn enwedig pan oeddem yn fwy crefyddol ein bryd.

Mae Suliau'r Grawys yn cael sylw arbennig gan yr eglwys, yn arbennig y pedwerydd Sul (Sul y Mamau), y pumed (Sul y Dioddefaint, neu Sul y Pys) a'r chweched (Sul y Blodau) sef y tri Sul cyn Sul y Pysg.

Mae'r Pasg ei hun yn ŵyl symudol – yn cael ei phennu yn ôl cyflwr y lleuad yn hytrach na dyddiad calendraidd penodol. Disgyn Sul y Pasg ar y Sul cyntaf wedi'r lleuad lawn gyntaf ar ôl y Gyhydnos ac mae hynny'n golygu y gall ddigwydd ar unrhyw ddyddiad rhwng 22ain Mawrth a 18fed Ebrill.

SUL Y BLODAU

Wythnos cyn y Pasg mae'n Sul y Blodau, sy'n cofio sut y daeth yr Iesu i Jeriwsalem ar gefn mul, a phawb yn taenu blodau a dail palmwydd dan draed yr hen ful bach. Wyddoch chi fod 'na hen arfer, ar Sul y Blodau, mewn rhai eglwysi ym Morgannwg hyd at ryw ganrif yn ôl o orymdeithio hefo delw bren o Grist ar gefn mul – a'r cwbwl wedi'i addurno hefo blodau a dail bythwyrdd. Fe fyddai pobl yn cadw a sychu'r blodau wedyn – i'w hamddiffyn rhag ysbrydion drwg. Mae'n siŵr fod hwn yn hen arfer oedd yn dyddio'n ôl i'r cyfnod pan oedd Cymru'n Gatholig – cyn i'r hen Harri'r VIII, druan bach, gael trafferth hefo'i wragedd a thorri'r cysylltiad gyda Rhufain!

Yma yng Nghymru cysylltid Sul y Blodau â thacluso beddau'r teulu – fe'u haddurnwyd â blodau a phaentio'r cerrig yn wyn, fel rhyw baratoad ar gyfer yr Atgyfodiad yn ôl y sôn. Ar un adeg fe ddigwyddai hynny adeg y dair gŵyl Gristnogol fawr, sef y Dolig, Sul y Pasg a'r Sulgwyn, ond Sul y Blodau ydi'r dyddiad arferol erbyn hyn.

WYAU PASG

Ond ar y dydd Llun cyn y Pasg y byddai'r hwyl i'w gael! Hwn oedd Dydd Llun Clepio Wyau, pryd y byddai plant yn mynd o gwmpas o dŷ i dŷ i fegian am wyau. Roeddent yn ysgwyd clepiwr dychryn brain ac yn adrodd rhigymau tebyg i:

'Clep, clep, plîs ga'i ŵy,
Hogyn bach ar y Plwy!'

Fe barhaodd yr hen arfer hwn hwyaf yn Sir Fôn mae'n debyg – ond mae wedi darfod erbyn hyn, fel y gwnaeth arferion tebyg yn yr un cyfnod, e.e. Hel Calennig ar ddiwrnod cynta'r Flwyddyn Newydd ayyb. Fe allwn feio dyfodiad trydan a'r teli-bocs am hynny de'cini – yn ein gwneud ni'n llawer mwy anghymdeithasol a thueddol i edrych lawr ein trwynau ar ryw hen arferion 'hen ffasiwn' o'r fath, m'wn! Ac wrth gwrs, dan ni i gyd yn rhy gyfforddus ein byd i gydnabod ein bod ni'n gorfod cardota bellach.

Byddid yn cadw'r wyau yn ofalus tan y Pasg ei hun – rai dwsinau ohonynt weithiau, yn rhesaid ar silffoedd y dresal, neu'n fasgedaid ar y bwrdd – i gael brolio a dangos i bawb alwai heibio faint lwyddwyd i'w hel.

Ar ddiwrnod y Pasg y byddai ympryd y Grawys yn dŵad i ben a byddai'n iawn bwyta wyau a chig a phob mathau o bethau da, a hefyd i chwarae gêms a 'ballu. Dathlu'r

Atgyfodiad a diwedd y Grawys oedd pwrpas Cristnogol yr wyau (ac anghofio, gynted â phosib, am dristwch ac anghyfiawnder y Croeshoeliad!). Ond yn yr hen grefydd baganaidd roedd yr ŵy yn arwydd o fywyd newydd y gwanwyn – yn rhodd gan y duwiau. Aiff gwreiddiau hyn yn ôl hyd yn oed i gyfnod y Persiaid – dros 4,000 o flynyddoedd yn ôl – ac fe'i gwelir yn niwylliannau'r Eifftiaid, Iddewon a'r Hindwiaid hefyd. Arwyddocâd yr ŵy, gyda llaw yw hen, hen goel am y creu ymysg rhai o grefyddau'r Dwyrain Canol mai deor allan o Ŵy Cosmig anferth wnaeth y byd a'r ddynoliaeth yn y Dechreuad.

Doedd dim problem gan yr eglwys i dderbyn yr agweddau 'diniwed' hyn o glapio am wyau, er y gwelwn sut y ceisiwyd Cristioneiddio'r arfer drwy ei gwneud yn ofynnol i'r plant fynd â'r wyau i gael eu bendithio gan yr Offeiriad cyn eu bwyta.

Wyau Pasg siocled gewch chi erbyn heddiw wrth gwrs – ac mae rheiny wedi bod ar werth yn y siopau ers wsnosa' yndo? Fe gewch chi'r 'crîm eggs' bach 'ma rownd y flwyddyn erbyn hyn. Hy! Dyna ichi demtio rhywun – a'r Grawys i fod yn gyfnod o ympryd!

BYNSEN GROES

Mae mwynhau Bynsen Groes yn un o uchafbwyntiau'r Pasg, yn enwedig os ydi hi'n un ffresh neis. Ond, mewn gwirionedd, doedd bwyta byns croes ddim yn arfer cyffredin yng Nghymru, heblaw am ardaloedd y Gororau a de Penfro, nes i'r syniad ledu yma o Loegr yn Oes Fictoria.

Erbyn heddiw fe gewch bacedi ohonyn nhw o'r siopa' rownd y flwyddyn. Ac maen nhw'n flasus hefyd – wedi eu tostio efo mymryn bach o jam ... mmm! Wyddoch chi be? 'Dwi ddim yn gweld hwn yn arfer drwg o gwbwl i'w fenthyca oddi ar y Saeson. Pam y dylsai rheiny gael yr hwyl i gyd ynde? Mae mabwysiadu'r pethau gorau oddi ar unrhyw un yn iawn – trueni na fuasai gennym ni'r hawl, â'r gyts hefyd, i wrthod eu gwaetha nhw ddyweda i!

DIWEDD YR YMPRYD

Fel y gallwch chi feddwl, fe fyddai hen wledda ar Ddydd y Pasg, sef Sul y Pasg. A phawb yn edrych ymlaen, wrth gwrs, yn enwedig yn yr hen ddyddiau, pan fyddai pobl wedi ymwrthod cyhyd â chig ac wyau ayyb fel rhan o ympryd deugain dydd y Grawys. Roedd o yn rhyw Ramadan Cristnogol yn doedd?

Erbyn diwedd y Grawys mae'n siŵr gen i y byddai pawb wedi hen syrffedu ar bennog picl (roedd yn iawn bwyta pysgod yn doedd?) ac fe fyddai cael bwyta pob dim unwaith eto yn rywbeth i edrych ymlaen ato. Byddai'r gweision ffermydd a phawb yn cael ŵy, neu ddau, i frecwast a'r cinio dydd Sul yn ginio i'w gofio – hefo cig oen fel arfer, a hwnnw'n oen Cymreig wrth gwrs. Hwnnw mae'n debyg fyddai'r cig ffresh cyntaf i bobl ei gael ers dechra'r gaeaf, heblaw am ambell i gwningen neu sgwarnog efallai – oherwydd mai cig mochyn wedi'i halltu fyddai'r brif gynhaliaeth o G'langaeaf, ym mis Tachwedd, tan ddechrau'r Grawys. Byddai, fe fyddai cinio Sul y Pasg cystal â chinio 'Dolig unrhyw ddydd, a cheid llond gwlad o gacennau a chwstard ŵy a 'ballu i ddilyn – unrhyw beth efo wyau yn y rysait! Am ei bod hi'n dymor dodwy beth bynnag roedd digon o wyau ar gael. Ac os ceid ŵy hefo dau felynwy – roedd o'n arwydd y byddai rhywun yn y teulu yn bownd o gael efeilliaid!

PRIODASAU'R PASG

Bu dydd Sadwrn y Pasg yn boblogaidd iawn ar gyfer priodi. A pha well adeg o'r flwyddyn i wneud hynny, gyda blodau'r gwanwyn ar bob llaw, y tywydd yn cynhesu, a chaneuon yr adar yn llenwi pob man. Hefyd, fe fyddai wythnos y Pasg ar ei hyd yn cael ei hystyried yn sanctaidd – ac felly'n wyliau. Ac mae hi'n braf iawn cael gwyliau i dreulio mis mêl yn dydi? Mae na ryw fanteision o ran treth a 'ballu hefyd – am ei bod mor agos at ddiwedd y flwyddyn ariannol.

Nodiadau ar gyfer mis Mawrth

Ebrill

FFŴL EBRILL

Gewch chi'ch gwneud yn Ffŵl Ebrill eleni? Dwi'n cofio cyfaill imi un tro, pan oedd o'n hogyn ifanc, yn cael ei yrru i 'siop bob dim' i nôl sgriwdreifar llaw chwith a hwnnw ddim wedi dallt mai tric Ffŵl Ebrill oedd o. A beth am y tro hwnnw ar un o raglenni newyddion y BBC pan ddangoswyd lluniau o grop toreithiog o sbageti yn tyfu ar y coed sbageti yn yr Eidal – a thua hanner y gwylwyr wedi credu'r peth hefyd!

Does neb yn siŵr iawn o lle y tarddodd Ffŵl Ebrill. Mae o'n dyddio'n ôl i gyfnod cynnar iawn – yn gysylltiedig â'r hwyl a miri oedd yn rhan o hen ddathliadau paganaidd y Gyhydnos a dechrau'r gwanwyn. Mae'r ffaith bod Lleu – hen dduw haul y Celtiaid – hefyd yn dduw hwyl a hiwmor, yn siŵr o fod yn rhywbeth i'w wneud â hyn. Ac, wrth gwrs, ei ŵyl o ydi'r Gyhydnos, ddiwedd Mawrth – pan fydd oriau'r dydd o'r diwedd gyhyd â'r nos, ac yn arwydd fod yr haul a'r haf wedi trechu'r tywyllwch a'r gaeaf.

Mae'n rhyfeddol hefyd pa mor eang ydi dosbarthiad y math o hwyl geir adeg Ffŵl Ebrill. Fe'i cewch drwy Ewrop ('Pysgodyn Ebrill' yw'r enw ar y ffŵl yn Ffrainc a Llydaw!) a chyn belled ag India. Wyddoch chi fod yr Hindwiaid yn yr India yn dathlu 'Gŵyl Huli' ar ddiwrnod d'wytha Mawrth. (Onid ydyw'n gyd-ddigwyddiad bod Huli yn swnio mor debyg i 'hwyl' a 'haul'?) Ac fe wneir hwyl am ben rhywun drwy ei yrru ar siwrnai chwithig, chwarae triciau o bob math arno a'i alw yn Ffŵl Huli! Rêl *Hwli*-ganiaid ynde?

Nid dathlu Ffŵl Ebrill yn unig yr ydan ni yr amser yma chwaith – mae 1af Ebrill yn ddechrau'r flwyddyn ariannol newydd, ac ar 5ed Ebrill y mae'r flwyddyn dreth yn newid. Mae hyn hefyd yn dyddio'n ôl yn bell iawn ac yn ein hatgoffa mai cyn i'r Rhufeiniaid, dan Iŵl Cesar yn 45CC, fabwysiadu'r calendr deuddeg mis, a phenodi Calan Ionawr fel dechrau'r flwyddyn newydd, fe fyddai'r flwyddyn newydd yn dechrau ar y Gyhydnos. Dyna oedd y drefn gyffredin yn ardal Môr y Canoldir a'r Dwyrain Canol ar un adeg. Ac am fod bancwyr a phobol y trethi mor ofnadwy o geidwadol, ac yn casáu newid dim byd, maen nhw wedi cadw at y cyfnod yma i orffen a dechrau eu blwyddyn ariannol.

Wrth gwrs fe fyddai'r Gyhydnos, oedd hefyd yn cael ei chyfri fel diwrnod cynta'r Gwanwyn, a'r flwyddyn ariannol yn digwydd ar yr un diwrnod ar un adeg – cyn i'r calendr golli un diwrnod ar ddeg yn 1752. Dyna pam fod y Gyhydnos ar 21ain Mawrth erbyn hyn ond bod y flwyddyn ariannol wedi aros ar 1af Ebrill.

PLANNU A HAU

Yng nghalendr y ffermio cymysg hyd at ryw hanner can mlynedd yn ôl, un o ddigwyddiadau pwysica'r flwyddyn fyddai plannu a hau. Gwyliau'r Pasg ydi'r amser traddodiadol i blannu tatws ynde? Fe fyddai'n wyliau ar dyddynwyr y chwareli i wneud y gwaith ac am ei bod hi'n wyliau ysgol roedd y plant adref i helpu hefyd. Pawb yn helpu'i gilydd, dyna oedd y drefn.

Mae byd natur yn llawn o arwyddion i'r ffermwr ynglŷn â phryd i fynd ati i hau ac yn y blaen. Byddai ffermwyr y gogledd yn ystyried y cyfnod a elwid yn 'Dridiau deryn du a dau lygad Ebrill' fel y cyfnod delfrydol i hau ceirch. Y tridiau deryn du, pan fyddai'r fwyalchen yn canu nerth esgyrn ei phen yn y gwrychoedd, ydi'r tri diwrnod olaf ym Mawrth, a'r ddau lygad Ebrill ydi'r ddau ddiwrnod cyntaf yn Ebrill.

Arwydd arall yw gweld y ddraenen ddu yn ei blodau. Mae yna ddywediad: 'Pan fo'r ddraenen ddu yn wen, tafl dy gynfas dros dy ben'. Nid rhywbeth i ddychryn pobl yn y nos fyddai hon, ond i'w gosod, wedi'i phlygu a'i chlymu yn y modd cywir dros yr ysgwydd i ddal y grawn i'w hau â llaw yn yr hen ddull – cyn i'r dril hau a dynnid gan geffyl neu dractor gymryd ei lle. Roedd hi'n olygfa fendigedig yn doedd? – gweld ffermwr yn cerdded yn ôl ac ymlaen ar hyd y cae yn hau hefo llaw. Roedd rhai yn dal i wneud hynny tan o leiaf ddiwedd y 1950au.

Y GWANWYN YN CRYFHAU

Erbyn hyn bydd y gwanwyn yn 'stwyrian o ddifri: adar bach yn canu, brain yn gori'n braf ar eu nythod, blodau'n doreth ar lawr y goedwig, cacynod yn hedfan ac ambell iâr bach yr haf hefyd.

Byddwn yn edrych ymlaen i groesawu'r gwenoliaid yn ôl eto. Gwenoliaid y glennydd, y rhai bach brown rheiny sy'n nythu yn nhorlan yr afon, fydd i'w gweld yn gyntaf a hynny o tua chanol i ddiwedd Mawrth. Pasio drwodd ar eu ffordd i'r gogledd fydd y rhain – dydi'r rhai sy'n aros yma i nythu, ddim yn cyrraedd tan ddechrau Ebrill.

Un o'r petha hyfrytaf am yr adeg hon o'r flwyddyn ydi gweld y coed a'r llwyni'n dechrau blaguro – mae'r ddraenen ddu yn llawn blodau, tra bo'r ddraenen wen yn deilio'n reit dda erbyn hyn a'r coed cyll, bedw, castanwydden, jacan (neu sycamorwydden) a hyd yn oed ambell dderwen yn dechrau arni hefyd.

COFIO CHWYLDROADAU

Fe ddaeth dilyn arwyddion byd natur i ddangos pryd i hau ac ymgymryd â gwaith amaethyddol o bob math – yn hytrach na dilyn rhyw ddyddiadau penodol o'r calendr eglwysig – yn boblogaidd yn y 18fed ganrif. Bryd hynny roedd y Chwyldro Diwydiannol yn dechrau magu stêm a phoblogaeth y wlad yn cynyddu'n aruthrol. Roedd rhaid cynhyrchu mwy o fwyd i fwydo'r holl boblogaeth drefol newydd ac fe ysgogodd hynny chwyldro mewn amaethyddiaeth hefyd. Mewn gwirionedd, fyddai'r Chwyldro Diwydiannol byth wedi medru digwydd heb gynhyrchu mwy o fwyd ar gyfer y gweithwyr trefol. Peidiwch ag anghofio felly am y Chwyldro Amaethyddol gerddodd law yn llaw â'r Chwyldro Diwydiannol – hebddo byddai'n chwildrins yn hytrach na chwyldro!

Arwyr mawr y Chwyldro Amaethyddol oedd pobl fel Jethro Tull ddyfeisiodd y dril hau oedd yn cael ei dynnu gan geffyl; Turnip Townsend gyflwynodd ddulliau a mathau o gropiau newydd a Bakewell aeth ati i fridio gwell anifeiliaid – yn ddefaid, gwartheg a cheffylau.

Ond peidied ag anghofio chwaith am ran rhigymwyr cefn

gwlad yn y Chwyldro. Y nhw ledaenodd y neges – ar ffurf rhigymau – mai arwyddion byd natur oedd y gorau i ddweud pryd y dylsid hau a 'ballu. Hynny yw, cyn hynny fe fyddai pawb yn disgwyl am rhyw Ffair neu Ŵyl rhyw sant i wneud unrhyw waith, e.e. hau ceirch cyn Ffair Caron yng Ngheredigion, neu'r tridiau deryn du yn y gogledd. Ond beth os buasai hi'n dymor hwyr, neu gynnar? Felly, rhag colli cyfle drwy lynu'n rhy glòs at ddyddiadau penodedig, fe ddaeth yn ffasiwn i gymryd eich arwydd o fyd natur, ac, wrth gwrs, roedd hynny'n siwtio'r oes mewn ffordd arall oherwydd, wrth i Anghydffurfiaeth ennill ei blwy', doedd pobl ddim mor betrusgar wrth ollwng arferion oedd, yn aml iawn, yn seiliedig ar galendr Eglwys Loegr.

Dyma ichi rai enghreifftiau: byddai rhai ffermwyr yn troi eu hanifeiliaid allan am ychydig oriau yn y dydd pan fyddai blodau bach duon y milfyw – math o hesgen fechan – i'w gweld yn y borfa tua dechrau Ebrill ac yn dweud wrth y gwartheg yn y beudy:

'Eidion du, byddi fyw,
Mi a welais y milfyw.'

Ar y ffriddoedd, rhyw fis yn ddiweddarach, gweld blagur plu'r gweunydd 'yr un maint â chynffon twrch daear' fyddai'r arwydd.

Ar gyfer hau ceirch ar ucheldir Hiraethog, yr arwydd fyddai gweld dail coed bedw'n blaguro, nes eu bod 'yr un maint â chlust llygoden'. Ond y clysaf o'r cwbwl ydi'r pennill adnabyddus o Forgannwg sy'n sôn am yr amser y dylid hau haidd – sef pan fo'r ddraenen wen yn ei blodau ym mis Mai:

Pan y gweli'r ddraenen wen,
A gwallt ei phen yn gwynnu;
Mae hi'n c'nesu dan ei gwraidd,
Cei hau dy haidd bryd hynny.

STORI TIMBA

I mi, *yr* arwydd go iawn fod y gwanwyn wedi cyrraedd ydi clywed cân telor yr helyg. Mae'n gân mor hyfryd a'i sain yn bur a glân fel y grisial. Ond mae 'na rhyw dinc trist i'r gân hefyd yn does? Ydach chi wedi sylwi fel mae hi'n dod i lawr ar y diwedd? Mae 'na reswm am y pruddglwyfni mae'n debyg.

Mae'r deryn bach yma – a peth bach llwyd-frown di-nod ydi o hefyd – yn dŵad atom ni o ganolbarth Affrica bob gwanwyn, yn nythu yma, ac wedyn yn dychwelyd i Affrica, lle mae'r tywydd yn dipyn gwell yno dros y gaeaf, wrth gwrs.

Rai blynyddoedd yn ôl fe gefais stori werin hynod o ddifyr am y deryn bach yma, gan wraig o Zimbabwe. Yno, yn yr iaith Shona, enw telor yr helyg ydi '*timba*', deryn bach sy'n cael ei ystyried y mwyaf di-nod o'r holl adar – a dyna pam mae 'na stori amdano fo. Fel hyn mae hi'n mynd:

Un tro roedd y llew yn gorwedd dan gysgod llwyn i gael siesta ganol dydd. A be oedd 'na uwch ei ben o, hefo'i chwiban fach drist – pssd, pssd – fel sy ganddo fo, ond Timba.

'Timba bach,' meddai'r llew, 'pam dy fod ti mor drist d'wad?'

'Am nad oes na neb yn licio fi,' meddai Timba, 'dw'i mor ddi-nod. Dydi'r twristiaid gwyn byth isio fy ngweld i, ac mae'r holl anifeiliaid ac adar yn gwneud hwyl am 'y mhen i – am 'y mod i mor ddi-nod (sniff!).'

'Ooo! Druan bach,' meddai'r llew. 'Yli, fe fedra'i newid hynny ysti. Fe wna'i dy newid di i unrhyw greadur leici di, a mwy na hynny fe ro'i dri dewis iti. Rŵan 'ta, be t'isio bod?'

'Y, y, wel, ga'i fod yn gath wyllt – un fach?' gofynnodd Timba.

'Siŵr iawn,' meddai'r llew a'i droi o'n gath wyllt. A'r eiliad y trodd Timba yn gath wyllt, dyma fo'r carlamu rhwng y llwyni yn neidio ar ôl yr holl adar a chreaduriaid eraill oedd wedi bod yn gwneud hwyl am ei ben pan oedd o'n dderyn bach brown di-nod!! Peth braf ydi dial ynde?!

Roedd y sŵn a'r sgrechian yn erchyll, a'r llew yn methu cysgu! A dyma fo'n gweiddi, 'Timba! Ty'd yma! Dwyt ti ddim yn cael bod yn gath wyllt – rwyt ti'n tarfu ar heddwch y lle 'ma! Rŵan – be arall wyt t'isio bod?'

'O, wel, ga'i fod yn eliffant 'ta?' holodd Timba.

'Hm!' meddai'r llew, 'Iawn – ond mae'n rhaid iti fynd o fa'ma imi gael llonydd i gysgu!' A dyma fo'n troi Timba yn eliffant. Wel, yr eiliad yr oedd Timba yn eliffant dyma fo'n carlamu dros y bryn. A be welodd o yr ochr arall ond pentref o bobl! Wel dyma fo'n rhuo'n uchel a rhedeg i'w canol nhw – a chwalu eu ffensus drain nhw, a'u tai nhw, a malu eu gerddi nhw a stampio ar eu bananas a'u gwsberis nhw a phob dim!

Fel 'sach chi'n ddisgw'l dyma'r bobl yn ffoi – dros y bryn gan ddŵad reit heibio lle'r oedd y llew yn cysgu! 'Hy-by-by-by-be sy' matar?!' meddai'r llew.

'Help! Mae 'na eliffant honco yn malu bob dim! Help!'

'O! Na! ... Timba! Ty'd yma ... rŵan!!'

Roedd y llew wedi gwylltio'n ofnadwy: 'Be ydi'r holl sŵn a llanast 'ma?! Chei di ddim bod yn eliffant ddim mwy! Yli! Mae gen ti jyst un cyfla arall – a f'ysat ti ddim yn cael hwnnw onibai 'mod i wedi gaddo tri chynnig iti! Rŵan 'ta, be wyt t'iso bod?'

'Hy! Os felly,' meddai Timba, 'Dw'i isio bod yn llew mawr ffyrnig fel na fedar neb – dim hyd yn oed chdi – ddeud wrtha i be i'w 'neud!'

'O na,' medda'r llew, ''sdim siawns y cei di fod yn llew!' A dyma fo yn ei droi o yn ei ôl i fod yn dderyn bach brown – hyd yn oed mwy di-nod na chynt. A pan glywch chi timba bach – neu delor yr helyg – yn canu'r gân fach drist 'na, cofiwch mai un o ddisgynyddion y timba gwreiddiol sy' yna, yn gorfod byw i dragwyddoldeb yn cofio'r cyfle a wastraffwyd. Mae 'na wers inni 'gyd yn fan'na yn does? – os cewch chi gyfle i wella'ch hun ryw dro, gwnewch y gorau ohono fo.

EBRILL CYFNEWIDIOL

'Mor ddi-ddal â diwrnod o Ebrill', meddan nhw. Mae hynny'n dweud y cyfan am y tywydd anwadal y medrwn ei gael yr adeg hon o'r flwyddyn. Dywediad arall tebyg ydi bod: 'Tywydd y pedwar tymor mewn diwrnod o Ebrill'.

Ond dyna ydi natur y cyfnod yma – yn gyfnewidiol, rhwng oerni a gwres: 'Mawrth a ladd, Ebrill a fling' ynde? 'A Mai mwyn i werthu'r crwyn!'

Ond gwella wneith hi: 'Fe gynhesith ar ôl bob cawod' meddai rhai. Dywediad arall i'r un perwyl ydi: 'Chynhesith hi ddim tan fydd y cennin Pedr wedi crino.' O ardal Nefyn y daeth hwnna, ac mae o'n arwydd tymhorol da iawn hefyd – yn datgan bod cyfnod blodau'r gwanwyn yn dirwyn i ben wrth i'r tywydd sefydlogi a ch'nesu wrth i ni ddŵad i olwg Mai.

Ac wrth i'r cennin Pedr grino mae llawer o flodau eraill y gwanwyn yn dirwyn i ben hefyd. Mae'r cynffonnau ŵyn bach ar y cyll wedi hen ddarfod, ac fel mae'r coed yn deilio fe fydd blodau llawr y goedwig hefyd yn rhoi'r gorau iddi tan y gwanwyn nesaf. Dyna'u tacteg nhw – blodeuo'n gynnar a chynhyrchu hadau a ffrwythau cyn i ddail y coed ddwyn eu golau nhw, fel y digwyddith ym mis Mai.

MWY O FLODAU'R GWANWYN

Mae 'na ddisgrifiad gwych, a blodeuog iawn gan Richard Morgan, yn *Llyfr Blodau* (a gyhoeddwyd yn 1909) o sut mae'r llygad Ebrill yn gorffen blodeuo. Mae o'n disgrifio sut mae'r blodau melyn yma, sy' mor gyffredin yn y gwanwyn, ac yn cau ac agor yn ôl cyflwr y tywydd a'r golau, fel hyn: 'Pan yn heneiddio gwelwant fel y galchen; parlysir gewynnau eu hemrynt; ac ni chauant pan oblygir hwynt gan lenni'r nos, na phan ymesyd tymhestloedd arnynt liw dydd.' Dyna ichi iaith! A hynny mewn llyfr darllen i blant ysgolion cynradd. Gwych ynde?

Un o'r hwyraf o flodau'r gwanwyn ydi clychau'r gog a fydd, pan ddeuant i'w hanterth cyn bo hir rŵan, yn carpedu llawr rhai o'n coedwigoedd ni ac yn glasu'r llethrau – yn enwedig lle mae llawer o redyn yn tyfu – cyn i hwnnw foddi'r glesni dan ei dyfiant ddiwedd Mai. Mae bwtshiars y gog yn enw arall arnyn nhw yn sir Gaernarfon. Ond sut cafon nhw'r fath enw 'dwch? Wel, gair yr ardal am 'wellingtons' ydi 'bwtshars' (neu 'blwtshars' i bobl Môn) sef y sgidia rwber 'dach chi'n wisgo i fynd drwy ddŵr.

Fe enwyd 'wellingtons' ar ôl y Diwc o Wellington am fod hwnnw adeg rhyfel Waterlŵ, fel rhan o'i iwnifform yn gwisgo trwsus gwyn tynn posh. A phan oedd o allan ar gefn ei geffyl fe fyddai'n gwisgo 'sgidiau lledr hir du at hanner ei gluniau – i gadw mwd a blew ceffyl oddi ar ei drowsus gwyn tynn posh. Y rheiny oedd y wellingtons gwreiddiol. Ond roedd sgidiau uchel o'r fath yn rhan o iwnifform y byddigions eraill hefyd, gan gynnwys neb llai na'r General Blucher – ac ar ôl hwnnw y mae pobl Môn ac Arfon yn dal i alw'u sgidiau dal dŵr hyd heddiw!

Y GOG

Ac o sôn am y gog, pan glywch hi gyntaf tynnwch eich pres o'ch pocad a phoeri arnyn nhw! Dyna sut i sicrhau y bydd gennych chi ddigon o bres am weddill y flwyddyn. Gwnewch yn siŵr hefyd eich bod yn sefyll ar borfa las pan glywch hi gyntaf – i sicrhau y byddwch chi yma o gwbwl i'w chlywed hi'r flwyddyn nesaf! A byddwch yn ofalus be ydach chi'n neud hefyd, oherwydd be' bynnag 'dach chi'n ei neud pan glywch chi'r gog gyntaf– dyna fyddwch chi'n neud am weddill y flwyddyn. Peidiwch ag oedi yn eich gwely yn y bora felly – nac yn y tŷ bach chwaith!

> 'Fy amser i ganu yw Ebrill a Mai
> A hanner Mehefin fe wyddoch pob rhai.'

Nodiadau ar gyfer mis Ebrill

Maí

C'LANMAI

Roedd Noswyl G'lanmai yn ddyddiad pwysig iawn ar un adeg oherwydd roedd yn nodi diwedd tymor y gaeaf – cyn i'r haf gychwyn o ddifri ar Galan Mai, neu G'lanmai (roedd Calan Haf yn enw arall arno fo hefyd).

Rhaid inni gofio y byddai'r hen flwyddyn Geltaidd yn cychwyn ar G'langaeaf (1af Tachwedd) ac wedi ei rhannu yn ddwy ran o hanner blwyddyn yr un. G'langaeaf, wrth gwrs, oedd pan fyddai'r bugeiliaid a'u hanifeiliaid yn dychwelyd o'r hafotai yn y mynydd i'r hendref. Fe fyddai hen ddathlu a chynnau coelcerthi yr adeg honno, i symbylu ailuno'r teuluoedd a'r aelwydydd.

Yna, ymhen hanner blwyddyn, wedi treulio'r gaeaf yn yr hendref roedd hi'n G'lanmai, ac yn amser unwaith eto i ddychwelyd i'r hafotai gyda'r anifeiliaid. Roedd 'na gynnau coelcerth fawr i nodi'r achlysur yma hefyd – i ffarwelio â'r bugeiliaid, ac i ddathlu dyfodiad yr haf. *Beltane* ydi'r enw Gwyddelig am goelcerth Calan Haf, sy'n golygu 'tân Bel', neu Beli – oedd yn enw arall ar dduw'r haul.

Roedd 'na ddwy Ŵyl Dân fawr sanctaidd gan yr hen Gymry paganaidd felly, chwe mis ar wahân, a'r ddwy yn gysylltiedig ag aberth er mwyn sicrhau ffrwythlondeb ac yn amddiffyniad rhag drwg. Ac fe fyddai aberthu go iawn ar un cyfnod hefyd – cofnododd y Rhufeiniaid sut y byddai'r Celtiaid yn aberthu pobl hyd yn oed – gelynion fel arfer (y Rhufeiniaid eu hunain mae'n debyg!), neu ddrwgweithredwyr, i'w llosgi yn y goelcerth yn aberth i'r duwiau!

Fe barhaodd llawer o'r hen ddefodau (heb yr aberthu!) yn boblogaidd hyd at ddiwedd y 19eg ganrif, pan ddechreuodd y Methodistiaid roi stop ar bethau am fod pobl yn cael hwyl ac yn mwynhau eu hunain yn ormodol mwn!

I baratoi'r goelcerth rhaid i bwy bynnag oedd yn hel y coed tân wneud yn siŵr nad oedd metel ar ei gyfyl, a rhaid oedd hel naw math o bren – eto heb unrhyw offer metel. Fe fyddai pobl yn canu a dawnsio a'r rhai ifanc yn cystadlu drwy neidio dros y fflamau ar ymyl y goelcerth. Byddai'r mwg yn puro ac amddiffyn y teulu a'r anifeiliaid rhag drwg – ac fe fyddai angen amddiffyn hefyd oherwydd roedd Noson C'lanmai, fel Noson C'langaeaf, yn adeg pan fyddai gwrachod a thylwyth teg drygionus o gwmpas. Y ffordd i amddiffyn eich hun rhag y rheiny oedd rhoi canghennau criafolen neu ysgawen ar y drysau a gosod haearn, halen, blodau melyn (lliw yr haul) i gadw'r drwg i ffwrdd.

Ar 1af Mai, sef C'lanmai ei hun, roedd yn ddiwrnod o ddathlu go iawn a byddai pobl wedi addurno drysau a ffenestri eu tai a giât yr ardd hefyd, â blodau. Byddai partïon yn mynd o dŷ i dŷ yn canu a dawnsio a chael cwrw a bwyd. Yn y parti fe fyddai gwahanol gymeriadau fel y Bili Ffŵl, y Cadi Ha, a rhywun yn cario polyn wedi ei addurno hefo rubanau a blodau (y Pawl Haf neu Fedwen Haf oedd hwn). Fe fyddai cerddorion a dawnswyr yn dŵad hefo nhw hefyd a phob tro yr oeddent yn stopio wrth dŷ fe fyddid yn gosod y fedwen haf i sefyll a dawnsio a chael hwyl o'i chwmpas. Bachgen wedi pardduo'i wyneb ac yn gwisgo dillad merch ac yn cario ysgub a phlât casglu oedd y Cadi Ha, ac fe fyddai'r arian y byddai'n ei gasglu yn talu am y cwrw yn y dafarn y noson honno.

Hei ha! Cadi Ha! . . . Lada li a Lada lo,
Lada ga i fenthyg – Hw! a wen!
Cynffon buwch a chynffon llo
A chynffon Richard Parry'r go. Hw! a wen!

Oedd, roedd hi'n dipyn o hwyl yn doedd! Ond, yn rhyfedd iawn roedd bron y cwbwl o'r dathliadau 'ma – y coelcerthi, y Fedwen a'r Cadi Ha wedi gorffen fwy neu lai erbyn dechrau'r ganrif ddiwethaf. Eto fyth, fe barhaodd y dyddiad ei hun yn bwysig oherwydd daeth agweddau newydd i gymryd lle'r hen – yr Undebau Llafur yn cynnal eu gorymdeithiau 1af Mai; mae hi'n Ŵyl Banc ar y Llun cyntaf o Fai a chynhelir pob mathau o sioeau a digwyddiadau cymdeithasol ar y dyddiad: Cystadleuaeth Aredig yn Sarn (Sadwrn cyn Gŵyl y Banc); Sioe Nefyn (dydd Llun Gŵyl y Banc) a Gŵyl Wanwyn Llanbedr (dros y penwythnos). Tybed sawl lle sydd bellach yn dathlu rhyw Ŵyl Fai neu'i gilydd?

Mae hi'n dda gen i weld atgyfodi llawer o'r hen ddathliadau traddodiadol fel y gallwch eu mwynhau unwaith eto, e.e. miri'r Fedwen Haf yn Amgueddfa Sain Ffagan. Hir y parhao dathlu Calan Mai – ar ei hen neu newydd wedd, ddyweda i.

GLAW MAI

Mae 'be sy'n dda i un yn wenwyn i arall' meddan nhw – ac mae hynny'n ddigon gwir am fis Mai. Sôn ydw i am anwadalwch tywydd Mai. Hynny yw, os ydach chi yn y busnes gwerthu hufen iâ i ymwelwyr mae glaw yn rêl niwsans, ac mae'n biti gweld yr ymwelwyr druan fatha ieir dan drol hefo ryw olwg 'be 'na'i' arnyn nhw yn tydi?

Ond os 'dach chi'n ffermwr, dydi o ddim cymaint o ots oherwydd bod glaw Mai yn rhywbeth i'w groesawu – wel, o fewn rheswm, hynny yw.

'Glaw Mai yn ddi-fai' yn ôl un dywediad, 'Glaw mis Mai wna gadlas lawn', 'Mai oer, 'sgubor lawn', a hefyd 'Mai oer a gwlyb – llond y lle o ŷd' ynde?

A beth am 'Glaw Mai i ladd llau'? Sail hwn ydi y bydd y gwartheg a gadwyd i mewn dros y gaeaf – fydd yn cael eu troi allan ym Mai, ac yn dioddef o bob mathau o afiechydon y croen (drywinod ayyb) – yn cael eu iacháu drwyddynt yn wyrthiol gan awyr iach, porfa las a glaw Mai.

Ddechrau Mai yr arferid troi'r gwartheg allan ar y tiroedd gwaelod ac yn ne Cymru, a chanol Mai – adeg y Ffeiriau Pentymor – yn y gogledd neu ar y tir uchel. Mae'n rhyfeddol fel mae'r gwartheg yn gwella o flaen eich llygaid chi bron – ac yn newid o'u cotiau llwydion caglog i gotiau sy'n sgleinio'n fendigedig!

Oes wir, mae llawer o bobl yn credu o ddifri yn rhinwedd glaw Mai (yn enwedig yng ngogledd Môn) – ac yn ei gasglu mewn poteli. Ar un amser roedd glaw Mai yn hanfodol i wneud meddyginiaethau (h.y. pan oedd pobl yn gwneud ffisigau gartref hefo llysiau ayyb), ac yn dda i olchi'r llygaid hefyd – mae o'r peth gorau at y golwg ac yn help mawr i chi werthfawrogi harddwch y mis mwyn yma.

Dim rhyfedd mai hwn oedd hoff fis Dafydd ap Gwilym a ganodd i fis cynta'r haf, tyfiant natur a serch. 'Da fyd im oedd dyfod Mai', meddai.

Ac i ddangos pa mor werthfawr ydi glaw Mai hyd yn oed yn yr oes fodern dechnolegol hon – wyddoch chi bod amryw o bobl yn ei gadw i'w roi ym matri'r car ac yn y gronfa ddŵr i olchi'r ffenestri. Ydi wir, mae o'n llawer gwell i'r batri na'r dŵr wedi'i ddistyllu gewch chi o garej neu siop geir – ac yn llawer rhatach hefyd! Felly cofiwch – glaw Mai amdani ar gyfer y car o hyn allan.

HAU HAIDD

Mae diwedd Ebrill/dechrau Mai yn bwysig iawn hefyd ar gyfer hau, ac mae pob ardal bron hefo'i dyddiadau neu ei harwyddion ei hun. Hau haidd er enghraifft – byddai ffermwyr ar diroedd da Dyffryn Teifi yn amcanu i orffen hau erbyn y Sadwrn olaf yn Ebrill – sef Sadwrn Barlys (fel y'i gelwid) – oedd yn ddiwrnod o ŵyl a ffair geffylau yn y dref. Da yw gweld bod hon wedi'i hadfer yn ddiweddar a'r dathlu'n mynd o nerth i nerth. Yn Llanbedr Pont Steffan, 7fed Mai oedd y dyddiad, sef dyddiad Ffair Dalis; tra yn Llŷn fe heuid yr haidd 'yng nghesail Mai', sef erbyn Ffair Pentymor Pwllheli (neu'r ffair gyflogi gweision) ar y 13eg.

A beth am hau mangels? Wel, yn Llanbedr Pont Steffan, cyn eu Ffair Bentymor nhw ar 10fed Mai oedd y dyddiad, ond yn fuan ar ôl y ffeiriau cyflogi ar y 13eg fyddai'r arfer yn y gogledd.

DEFFRO'R HAF

Wyddoch chi be? Os ydi hi'n bosib ichi gymryd rhyw saib bach a chodi'ch pen o'r hau neu be bynnag 'dach chi'n neud – fe gewch chi wledd i lygaid ac enaid. Mai ydi un o'r misoedd gorau i werthfawrogi natur oherwydd holl gyffro deffro'r haf.

Chi bobl y blodau – sylwch wnewch chi ar y saith math o

felyn-wyrdd ym mlagur dail y coed a'r holl flodau sy' ymhob man erbyn hyn. Chi bobl y pryfaid – peidiwch â dychryn pan aiff y chwilen Fai (yr un anferth frown honno) yn bang i'r ffenest. Chithau bobl yr anifeiliaid – mae'n dymor i'r draenogod gydmaru (yn ofalus) ac ewch allan fel mae'n nosi i weld ystlumod yn gwibio i ddal gwyfynod. A chi bobl yr adar neu unrhyw un o natur gerddorol – wel, rhowch y cloc larwm 'na i'ch deffro chi am 4.00 y bora i chi gael gwrando ar gôr y wig. Cystadlu a datgan eu hawliau ar diriogaeth nythu drwy gân mae'r adar, wrth gwrs. Da 'te? Yr adar yn cystadlu drwy gân – ydi, mae'n steddfod byd yr adar yn y coed y dyddiau hyn!

FFEIRIAU PENTYMOR

Fe fyddai'r rhigwm bach: 'Dim ond heddiw tan yfory, Dim ond 'fory tan y ffair' yn adnabyddus iawn ar un cyfnod, ac yn cyfeirio, wrth gwrs, at yr hen Ffeiriau Cyflogi, fel y'u gelwid, neu Ffeiriau Pentymor neu Ffeiriau C'lanmai, a gynhelid yr adeg hon o'r flwyddyn. Digwyddai hynny rhwng tua'r 10fed a 15eg Mai (yn dibynnu ar yr ardal) – a'r rhigwm yn cyfeirio at ddyhead ambell was neu forwyn i adael rhyw fferm, lle roeddent wedi cael lle go sâl, i chwilio am le gwell at y tymor nesa.

Fe gewch yr un neges yn y rhigwm:

'Daw C'lanmai, daw C'lanmai, Daw dail ar bob llwyn,
A'r mistar a'r fistras i siarad yn fwyn'.

Hwn yn edliw fel y byddai'r ffermwr a'i wraig yn bownd o geisio ffalsio efo'r gwas os oeddent am iddo aros yn ei le am dymor arall.

Roedd pobl yn dal i alw'r ffeiriau canol Mai 'ma yn Ffeiriau C'lanmai – er mai y cyntaf o'r mis ydi C'lanmai go iawn – am fod y calendr, fel y soniwyd eisoes (tud. 10), wedi cael ei gywiro yn 1752.

Roedd yr un peth yn wir am Ffeiriau Tachwedd hefyd, neu

Ffeiriau G'langaeaf – roedd rheiny eto ganol y mis am fod pobl cefn gwlad am lynu wrth yr hen galendr yn hytrach na'r un newydd.

Cyflogi gweision a morynion oedd pwrpas y ffeiriau hyn ac fe fyddai pawb wedi cyrraedd yn gynnar ac wedi ymgynnull ar un ochr i'r stryd, neu ar bont y pentref. Roedd pawb yn edrych yn eithaf taclus ac yn sefyll yn dalsyth – fyddai neb yn pwyso yn erbyn y wal os oedden nhw eisiau cael eu cyflogi.

Mae 'na sôn am ryw ffermwr yn Ffair Pwllheli yn gofyn i hogyn: 'Wyt ti am gyflogi? Ynta' am fyw ar dy bres wyt ti?'. Ac un arall, ar ôl bod yn sgwrsio hefo darpar was yn dweud: 'Yli, aros yn fan'na am 'bach. 'Dwi am holi mwy am dy hanas di gynta' ac yn mynd i chwilio am gyflogwr blaenorol y bachgen. Dyma fo yn ei ôl toc, a dweud: ''Dwi wedi cael hanas da iawn iti. Ddoi di acw?' A'r ateb gafodd o oedd: 'Wel, 'dwinna 'di bod yn holi amdanoch chitha hefyd – a 'dwi ddim isio dŵad'.

Roedd y ffeiriau yn bwysig nid yn unig i gyflogi gweision a morynion ond hefyd i nodi'n gyfleus iawn y newid yng ngwaith y fferm o waith y gaeaf i waith yr haf. Dyma ddiwedd ar borthi'r gwartheg yn y beudai dros y gaeaf, trin y tir a hau'r ŷd. Bellach roedd yn dymor hau llysiau, cneifio ac edrychid ymlaen i'r cynaeafau gwair ac ŷd.

Adeg y Ffeiriau Pentymor y byddai ffermwyr yn arfer talu eu dyledion. Ar gyfer hynny fe fyddent wedi gwerthu rhyw fuwch neu ddwy neu dair rhyw bythefnos ynghynt, e.e. yn Ffair Llanuwchllyn ar 25ain Ebrill neu Ffair Bach Pwllheli ar 1af Mai. Roedd arian ar gael wedyn i dalu cyflogau ac i dalu dyled y siop, y gof, a'r dyn dyrnwr. Fe fyddai'r dyn dyrnwr, adeg Ffair G'lanmai, ar gael yn rhyw westy, e.e. Gwesty'r Tŵr ym Mhwllheli, rhwng 2 a 3 y pnawn i dderbyn ei bres. Byddai paned o de wedi ei darparu i'r rhai ddeuai yno i dalu, er, rhaid cyfaddef, y byddai yn well gan ambell un beint o gwrw.

Byddai angen prynu nwyddau hefyd – llestri, cribiniau, pladuriau, oel Morus Evans, dillad, tŵls a digon o inja roc a da-da neu fferins – ac o'r gair 'Fairings' (anrhegion ffair) mae'r gair yna'n dŵad, gyda llaw – a 'nialwch o bob math. Roedd 'na fyrddau pwl-awê, ceffylau bach bŵth bocsio yn y ffeiriau mwyaf a thaflu am goconyts – unrhyw esgus ichi wario!

Un tric glywais i amdano oedd cymryd cortyn a chlymu un pen yn sownd wrth goes un o'r stondinau a'r llall yn sownd wrth geffyl, neu hyd yn oed fŷs Crosville – a phan fyddai hwnnw'n symud – wel, Crash! Bang! Walop! – wrth i'r cwbwl ddymchwel a 'sgaru hyd y stryd.

Roedd y Ffair yn ddiwrnod o ryddid i'r gweision a'r morynion ar ôl iddynt fod yn gaeth am hanner blwyddyn. A rŵan, hefo dipyn o bres yn eu dwylo – ar ôl talu am bethau angenrheidiol fel dillad, cyllell boced neu 'sgidia – roedd hi'n amser am dipyn o HWYL! Byddai llawer o rialtwch a meddwi, ac ambell i ffeit hyd yn oed! Byddai hynny, wrth gwrs, yn boendod mawr i'r capeli a cheid ambell bregethwr yn taranu o'r pulpud ar y Sul yn erbyn y fath oferedd ac afreoleidd-dra.

Bellach, dim ond ambell ffair wagedd sy' ar ôl i'n hatgoffa ni o'r hen ddull o gyflogi gweision. Ond, mae'n debyg fel cydnabyddiaeth o werth yr elfen gymdeithasol yn yr hen ffeiriau gwreiddiol, aethpwyd ati i lenwi mymryn bach ar y bwlch ar ffurf yr holl wyliau Mai sydd wedi blodeuo drwy Gymru yn yr ugain mlynedd diwethaf, e.e. Gŵyl Fai Dyffryn Nantlle a sawl un debyg iddi. Hefyd mae mawr ddisgwyl am y cylchgrawn gwych hwnnw, *Fferm a Thyddyn* – fydd yn ymddangos ganol y mis – sef rhifyn C'lanmai, yr Hen G'lanmai, wrth gwrs!

FFEIRIAU CYNTA'R HAF

Wrth edrych ar yr hen galendr amaethyddol fe welwn bod ffeiriau a sioeau o bob math yn bwysig iawn a thrwy edrych ar beth fyddai eu pwrpas gwreiddiol mae'n bosib olrhain trefn gwaith y flwyddyn yn o fanwl.

Yn dilyn yn dynn ar sodlau'r Ffeiriau Pentymor ganol Mai, pan fyddai gweision a morynion yn cael eu cyflogi, y ffeiriau nesaf o bwys fyddai Ffeiriau Cynta'r Haf. Er enghraifft, ar 22ain Mai ym Mhwllheli ac ar y 23ain yng Nghricieth.

Mae Ffair Cricieth yn dal i fynd o nerth i nerth – er mai

'nialwch a thŵls a 'meri-go-rownds' a 'ballu gewch chi yno erbyn hyn wrth gwrs. Fe fu 'na ryw firi yn 2005 ynglŷn â newid safle'r ffair o'r maes i'r morfa – oherwydd rhyw reolau iechyd a diogelwch gwirion – oedd yn gwarafun, am ryw reswm, i'r ffair gael ei chynnal wrth y ffordd fawr drwy ganol y pentra. Doedd hi ond wedi bod yno ers 650 o flynyddoedd! Bu adwaith gref o du'r cyhoedd a da gweld bod y Cyngor Sir wedi gweld synnwyr a gadael i'r ffair aros ar y maes. Hwrê!

Ffair geffylau fyddai hon yn yr hen ddyddiau ac fe ddeuai ffermwyr o bob man i brynu ceffylau at y cynhaeaf. Fe ddeuai porthmyn yno hefyd i brynu ceffylau i weithio un ai ar y strydoedd, e.e. i dynnu wagenni'r bragdai ym Manceinion, neu ar y dociau yn Lerpwl neu i weithio ar y rheilffyrdd ayyb. Roedd gwell pris i'w gael am bâr neu wedd os oedden nhw'n cyfateb o ran lliw a phatrwm (e.e. dau geffyl du hefo seren a sanau gwynion). Byddai rhai ffermwyr yn ceisio cael gafael ar geffyl tebyg i'w un o i wneud gwedd ar gyfer ei gwerthu – mwya'r tebygrwydd, mwya'r pris.

Byddai gwerthu ceffylau yn dŵad a llawer o bres i'r ardal. Fe gefais i wers dda iawn mewn economeg ar sail hynny gan gyfaill o Chwilog rai blynyddoedd yn ôl. Cofiai weld y trên o Afon-wen yn mynd am Fryncir hefo tryceidiau o geffylau ar eu ffordd i Loegr yn dilyn Ffair Cricieth. Fel hyn y dywedodd o – bod y 'ceffylau'n mynd allan, a'r pres yn dŵad i mewn', o'i gymharu â rhai blynyddoedd yn ddiweddarach pan oedd tryceidiau o 'dractors yn dŵad i mewn a'r pres yn mynd allan'. Mae hynny'n d'eud llawer yn dydi am yr hyn sy'n gwneud economi gynaladwy.

Fe fyddai pobl hefyd yn cael golwg ar y stalwyni bendigedig fyddai'n cael eu harddangos yn y ffair – byddai'r rheiny'n smart ofnadwy hefo'u mwng a'u cynffonnau wedi'u plethu a'u trimio â rubanau lliwgar a rosetiau o wahanol sioeau. Byddai ceffylwr profiadol ym mhen pob un yn ei arwain ac yn rhedeg hefo fo ar hyd y stryd i ddangos ei bwyntiau, a'r traed a'r pedolau anferth fel clychau'r eglwys, yn codi gwreichion ar y tarmac!

Fe fyddai rhai o'r stalwyni wedi eu llogi am y tymor gan ryw gymdeithas leol – y Gymdeithas Sirol fel arfer – i fynd ar gylchdaith drwy'r fro i wasanaethu'r cesig ar y gwahanol ffermydd. Hwn oedd y 'Stalwyn Sir' gwreiddiol ynde? Roedd yn bosib cael cerdyn i ddangos y gylchdaith hefo'r dyddiadau a'r amseroedd y byddai mewn gwahanol lefydd yn ystod yr wythnos, a'r tymor yn para o fis Mai hyd tua mis Medi fel arfer. Felly pan fyddai angen gwasanaeth ar y gaseg, fe fyddech yn gwybod lle i fynd i gael hynny gan y stalwyn o'ch dewis chi – am y tâl priodol, wrth gwrs.

Y GASEG WEN

Mae 'na stori dda am un o stalwyni Cymdeithas Llŷn yn dŵad ar ei gylchdaith ac yn aros am bnawn ym Mhemprys ger Boduan. A phwy ddaeth yno, ymysg rhai eraill, hefo'i gaseg fach wen ond rhyw gyfaill o Lannor. Roedd yr hen gaseg bellach wedi rhyw dri chwarter ymddeol – yn gwneud fawr ddim erbyn hynny heblaw mynd rownd yn gylch i dynnu'r 'pŵer ceffyl' fyddai'n troi'r fuddai ar gyfer corddi i wneud menyn.

Wel fe gafodd y gaseg wen ei gwasanaethu ac i ffwrdd â hi. Ond ymhen rhyw chydig wythnosau wedyn roedd hi yn ei hôl – doedd hi ddim wedi beichiogi yn nagoedd. (A gyda llaw, un o amodau'r contract oedd na fyddai raid ichi dalu am y gwasanaeth tan y byddai'r gaseg wedi beichiogi. Ac os nad oedd hynny wedi digwydd y tro cyntaf, roedd hawl ganddoch i gael gwasanaeth arall.) Felly fe gafodd y gaseg ail wasanaeth.

A'r tro nesaf i'r stalwyn alw ym Mhemprys, pwy ddaeth drwy'r giât ond y gaseg wen eto! Roedd y ceffylwr wedi gwylltio erbyn hyn a meddai: 'Harri bach, 'dach chi'm yn dallt 'dwch bod yr hen gasag bach 'ma wedi mynd yn rhy hen i gael cyw!?'

'Wel 'dwi'n gwbod hynny'n iawn ysti,' meddai Harri. 'Dwi ddim yn disgw'l iddi hi gael cyw – jyst trît bach iddi am gorddi ydi hyn!'

Y SULGWYN

Mae 'na ddau Sulgwyn yn does – y seciwlar a'r crefyddol. Rhyw Sulgwyn o ran enw yn unig ydi'r Sulgwyn seciwlar – yn gyfleustra o ran pryd i gynnal gwyliau hanner tymor i'r ysgolion ddiwedd Mai/ddechrau Mehefin. Maen nhw wedi taro Gŵyl Banc am ei ben o hefyd, i deuluoedd gael gwyliau byr efo'i gilydd ar ddechrau'r haf. Dyna pryd y bydd miloedd ohonyn nhw yn dŵad o Loegr i'w tai haf yn Abersoch a llefydd eraill dros y penwythnos hefyd, gan achosi 't'riffic traffic' ymhob man!

Yna mae'r Sulgwyn Cristnogol, gwreiddiol, neu'r Pentecost, sy'n digwydd saith wythnos ar ôl y Pasg. Mae dyddiad hwn felly yn newid bob blwyddyn, am fod y Pasg ei hun yn symudol wrth gwrs.

Wel, beth mae'r Sulgwyn crefyddol yn ei ddathlu tybed? Roedd o'n benllanw i ddau ddathliad mewn gwirionedd. Y cyntaf oedd esgyniad neu ddyrchafiad Crist i'r nefoedd ddeugain niwrnod ar ôl y Croeshoeliad – Dydd Iau y Dyrchafael ydi'r diwrnod hwnnw.

Ar un adeg byddai'r enwadau anghydffurfiol yn dathlu'r Dyrchafael drwy gynnal Gwyliau Pregethu go fawr, ond mae rheiny wedi hen ddiflannu erbyn hyn.

Yn ddifyr iawn, fe ddois i ar draws cyfeiriad at y Dyrchafael yn y *Times*, mis Mai 1888, lle mae stori bod chwarelwyr y Penrhyn wedi cymryd gwyliau – am eu bod yn credu bod gweithio ar ddydd Iau y Dyrchafael yn hynod o anlwcus. Yn ôl yr erthygl roedd y Dyrchafael yn arfer bod yn ŵyl ar un adeg, ond bod yr hen Arglwydd Penrhyn wedi gwahardd hynny. Eto roedd y chwarelwyr yn taeru bod mwy o ddamweiniau nag arfer yn digwydd ar ddydd Iau y Dyrchafael ac yn aros adref – i fynychu'r Gwyliau Pregethu wrth gwrs, neu beth bynnag!

Ddeng niwrnod yn ddiweddarach, sef hanner can niwrnod ar ôl y Pasg, fe ddaeth yr Ysbryd Glân i lawr at y Disgyblion a'u hysbrydoli nhw i fynd allan i genhadu ac i sefydlu eglwys yn enw Crist – sef yr eglwys a'r grefydd Gristnogol. Mae'r Sulgwyn felly, sef y dydd y digwyddodd hyn, yn dathlu pen-blwydd yr Eglwys Fore. Mae o hefyd yn dathlu'r hen ŵyl Iddewig honno – y Pentecost – pan ddaeth Moses â'r Deg Gorchymyn i lawr o Fynydd Sinai.

Chydig o sylw cyhoeddus gaiff y Sulgwyn crefyddol erbyn hyn – fel mae pethau y dyddiau yma. Ond yr arfer ar un adeg, yn enwedig yn yr ardaloedd diwydiannol fyddai talu cryn sylw i'r achlysur a chynnal Cymanfaoedd Pregethu dros y Sulgwyn – pan ddeuai'r capeli at ei gilydd ac y byddai, er enghraifft ym Methesda yn Nyffryn Ogwen, dri phregethwr wrthi nos Sadwrn a phregethau drwy'r dydd Sul.

Roedd tipyn mwy o fri yn yr ardaloedd diwydiannol nac a geid yng nghefn gwlad ar y Gwyliau Crefyddol yma oherwydd byddai'r gymuned amaethyddol yn rhy brysur gyda'r gwaith tymhorol fel hau a chwynnu a byddai'r Ffeiriau Cyflogi a Ffeiriau Cynta'r Haf hefyd yn torri ar draws pethau – a hynny oherwydd pwysigrwydd economaidd y ffeiriau, yn ogystal â'r cymdeithasu a'r hwyl wrth gwrs!

Roedd yna amryw o hen arferion difyr yn gysylltiedig â'r Sulgwyn, e.e. fel hefyd ar gyfer y Dolig a'r Pasg pan fyddai pobl yn tacluso beddau eu hanwyliaid. Ar gyfer y Sulgwyn byddid yn addurno'r beddau â blodau, tra yn ardal Crwbin byddai pawb wedi *gwyn*galchu eu tai ar gyfer y Sulgwyn.

YR HEN SULGWYN

Hyd at rhyw 150 o flynyddoedd yn ôl byddai'r Sulgwyn yn esgus i ddathlu a meddwi hefyd! Roedd rhywfaint o hen ddathliadau paganaidd Calan Mai wedi crwydro draw i'r Sulgwyn mae'n debyg. Ym Morgannwg fe fyddai grwpiau dawnsio, wedi'u gwisgo'n lliwgar a duo'u hwynebau – y Ffŵl a Megan – yn mynd o gwmpas i hel arian i brynu cwrw yn y dafarn gyda'r nos. Ond yn nhafarndai Pwllheli fe fyddai merched, hefo'u breichiau y tu ôl i'w cefnau, yn ceisio codi oen o'r llawr rhwng eu dannedd a phawb yn cael hwyl, ac yn yfed be oedd yn cael ei alw yn 'Gwrw'r Oen!' Pam codi oen fel hyn? Duw a ŵyr, onibai ei fod yn cynrychioli dyrchafiad yr Iesu (yr 'Oen Bendigaid') i'r nefoedd.

Hwyl anhygoel mae'n rhaid – i bawb ond yr oen! Ond diflannu wnaeth hyn dan ddylanwad y capeli – fel 'sach chi'n ei ddisgwyl!

Nodiadau ar gyfer mis Mai

Mehefin

TYMOR TYFU

'Mis Mehefin gwych os daw,
Peth yn sych a pheth yn law.'

Dyna yw'r hen ddywediad ynde? A dyna'n union yr oedd y ffermwr ei angen er mwyn i'r gwair dyfu – digon o haul a digon o law bob yn ail. Hynny yw, pan oedd gwair yn cael ei dyfu. Silwair mewn plastig du – neu wyrdd os ydach chi'n fwy ffasiynol – dyna gewch chi heddiw!

Mae hynny'n dipyn haws na'r hen drefn oherwydd 'does dim rhaid bod mor ddibynnol ar dywydd braf i gynaeafu'r silwair ac fe fedrwch wneud y gwaith i gyd ar eich tin ar gefn tractor – a gwrando ar Radio Cymru yr un pryd!

Dywediad arall am dywydd Mehefin ydi: 'Gwenau Mehefin, alltudient pob drycin', sy'n golygu, os cafwyd Mai go anwadal, bod siawns – hefo dipyn o lwc – y cawn ni dywydd brafiach a mwy sefydlog ym Mehefin. Ond, ar y llaw arall, fe fedar y tywydd ddal ymlaen yn oeraidd a gwlyb. Eto, fyddai neb yn poeni gormod am hynny chwaith, dim ond iddi frafio a ch'nesu erbyn Troad y Rhod, sef dydd hwya'r flwyddyn ar yr 21ain neu Ŵyl Ifan ar y 24ain.

Y dywediad os arhosai'r tywydd yn oer fyddai: 'Na feia dy egin cyn diwedd Mehefin'. Roedd yr hen bobl yn ddigon call i goleddu dywediadau ar gyfer pob amgylchiad, braf neu beidio. Mae eisiau cadw'r dewisiadau'n agored yndoes?

Mehefin ydi tymor y tyfiant a'r mwyaf cynhyrchiol o'r holl fisoedd. Does dim rhyfedd am hynny chwaith am fod oriau'r golau dydd ddwywaith cymaint ag yr oedden nhw yn Rhagfyr, a nerth y goleuni hwnnw o leia x 4-5 gwaith yn gryfach. Ac mae'r gwres hefyd yn dipyn mwy ffafriol na chanol gaea' yn dydi? Yn naturiol, fe fydd popeth byw yn manteisio ar hynny – yn enwedig gan na fydd peryg o farrug am y tri mis nesaf.

CYFOETH NATUR

Y cyfoeth amlycaf a welwn ni ar ddechrau'r haf fel hyn ydi'r holl flodau yn eu gogoniant a'u newydd-deb – yn wledd i'r llygaid a'r ffroenau (wel, onibai eich bod yn dioddef o'r clwy gwair ynde?). Mae gan bob cynefin ei gymuned arbennig ei hun o blanhigion, ac mae gan bob planhigyn ei dric ei hun i ennill mantais dros ei gymdogion, mewn byd cyfnewidiol a chystadleuol dros ben.

Mae'n werth edrych yn fanylach ar garnifal y blodau oherwydd fe fyddwch yn siŵr o ffeindio r'wbath annisgwyl, hyd yn oed yn y pethau mwyaf cyffredin. Er enghraifft, be am y ceiliog coch, neu flodyn t'ranau, neu flodyn neidr (neu'r *Campion* coch os ydach chi'n Sais). Mae hwn yn un o flodau mwyaf cyffredin gwrychoedd Mehefin, cyn iddo hadu a chael ei foddi gan y gweiriau erbyn diwedd y mis, neu gael ei ddifa gan beiriannau'r Cyngor Sir!

Ond sylwch arno fo eto – mae'n anhygoel pa mor amrywiol ydi lliw, maint a siâp y petalau. Mae hynny'n rhyfeddod ynddo'i hun ac yn fwy fyth, mewn gwirionedd, o werthfawrogi pam – wedi'r cyfan, onid amrywiaeth ydi sail y gallu i addasu?

Mae gan bob cynefin rywbeth gwahanol i'w gynnig rŵan ac fe fyddaf innau, yr adeg hon o'r flwyddyn, yn ceisio gwneud y rownds fel 'tae. Pam nad ewch ch'itha hefyd – i fyny am Gwm Idwal neu Gwm Glas i chwilio am y blodau Arctig-Alpaidd – a Lili'r Wyddfa yn arbennig; i dwyni Harlech, Ynys Las, neu Rosili i ryfeddu at y lliwiau yno cyn i wres yr haf grimpio bob dim; i glogwyni Môn, Llŷn neu Benfro i chwilio am glustog Mair; i garreg galch y Gogarth, Dyffryn Clwyd, Morgannwg neu dde Penfro am big-yr-aran ruddgoch (sydd â'r enw Saesneg difyr: *Bloody Cranesbill*), a pheidiwch da chi ag anghofio coedydd, corsydd a gweirgloddiau eich plwyf eich hun. Ia, rŵan ydi'r amser i fynd – cyn i bryfaid a gwybed Gorffennaf – yn enwedig yr hen bry llwyd gythra'l 'na ddŵad i'ch brathu a'ch pigo chi nes y byddwch chi fel pincas!

Fel y daw tymor y blodau i'w anterth, rhyw raddol ddistewi wna'r adar. Yn y gwanwyn yr oedden nhw fwyaf amlwg pan oedd cân a sioe yn bwysig ar gyfer datgan tiriogaeth a denu cymar. Erbyn hyn does dim cymaint o angen cystadlu ymysg yr holl ddigonedd ac mae teuluoedd, ac ail deuluoedd i'w magu beth bynnag. Na, mae'n llawer gwell, a challach, i'r adar guddio ymysg y dail rŵan – wedi'r cyfan mae'r hen walch glas o gwmpas ac mae o'n hela yn brysurach nac ar unrhyw amser arall hefyd, hefo hatsied o gywion ei hun i'w magu.

Bydd llawer o gywion adar yn gadael eu nythod ym Mehefin. Ein hadar brodorol ni fydd y rhain yn bennaf – yn ditws a robinod coch a ji-bincs. A 'dach chi wedi'u gweld nhw – cywion brain neu biod – hefo cynffonnau byrion! 'Does na ddim byd mwy doniol na rhyw gyw pioden yn ceisio landio ar gangen – ac yn dawnsi'n ôl ac ymlaen yn ei unfan – a'i din o'n mynd i fyny ac i lawr 'fatha peth gwirion am nad oes ganddo fo gynffon i gael y balans yn iawn! Wel sôn am ddigri!

A gyda llaw, os dewch chi ar draws rhyw gyw deryn bach, ar y llawr fel arfer, a hwnnw'n edrych yn hollol ar goll ac amddifad – gadwch lonydd iddo fo. Garantîd ichi, fe fydd y rhieni wrth ymyl yn rhywle, ond yn cadw'n hollol ddistaw rhag tynnu sylw at y peth bach. Fe ddôn yn ôl unwaith y byddwch chi wedi mynd. Y peth gwaetha bosib ydi ichi ei godi o a'i symud o i rywle arall. Ganfyddith ei rieni byth mo'no fo wedyn. Felly gad'wch iddo fo – y peth bach!

Bob blwyddyn bydd llwyddiant y tymor nythu yn dibynnu ar gyflenwad digonol o bryfaid i fwydo'r cywion. Fel arfer fydd dim prinder o'r rheiny – digon mewn gwirionedd i gyfiawnhau'r siwrnai bell gan filiynau o adar bach ymfudol i ddod i nythu yma bob gwanwyn. Ydyn, maen nhw'n garantîd o wledd o lindys ar y coed neu bryfaid ehedog. Ac mae hi'n gwneud synnwyr iddyn nhw ddŵad yma hefyd, oherwydd, yr adeg hon o'r flwyddyn, mae hi'n dymor sych yn Affrica ac mae pryfaid yn brin yno.

Mae pryfaid yn bethau eithriadol o amrywiol a niferus ac yn chwarae rhan hollol hanfodol ym myd natur – yn treulio gwastraff; yn peillio a ffrwythloni blodau, rheoli gordyfiant ac yn fwyd i lawer iawn o adar ac anifeiliaid. Mae 'na tua 15 mil o wahanol rywogaethau yng Nghymru yn unig; dros 100 mil yn Ewrop a sawl miliwn drwy'r byd. Maen nhw'n dweud, petae 'na greadur o'r gofod yn ceisio cysylltu hefo'r peth byw mwyaf llwyddiannus sy' yma, mae'n debyg mai at chwilen y buasai'n mynd!

Mae pryfaid yn bethau clywadwy iawn yr adeg hon o'r flwyddyn hefyd. Rydan ni'n ddigon cyfarwydd â gwenyn a chacynod yn prysur hel neithdar o'r blodau i wneud mêl, pryfaid ffenast yn y tŷ, a sboncod gwair yn rhincian yn y borfa ar ddiwrnod heulog. Ond os ydych am agoriad llygad pryfydegol go iawn, ewch i goedwig dderw tua diwedd y mis 'ma, ar ddiwrnod tawel, heb sŵn traffig, ac fe'u clywch chi nhw – gannoedd o filoedd ohonyn nhw – y lindys ar y coed uwch eich pen, yn prysur fwyta eu ffordd drwy'r dail. Ia, sŵn sisial isel – rhyfeddol dros ben!

GŴYL BARNABAS

11fed Mehefin, ydi Gŵyl Barnabas. Ar un adeg, cyn iddyn nhw newid y calendr yn 1752, hwn oedd dydd hwyaf y flwyddyn. Fe fyddai pobl yn dal sylw ar y tywydd ar Ŵyl Barnabas oherwydd roeddent yn credu – pe bai hi'n dywydd braf, y byddai hi'n debyg o aros yn braf am sbel.

Fe geir yn union yr un goel am y diwrnod hwyaf go iawn hefyd, sef Troad y Rhod, neu Alban Hefin, sydd ar yr 21ain o'r mis. Felly, mae'n bur debyg mai wedi ei throsglwyddo o Ŵyl Barnabas i Droad y Rhod mae'r goel adnabyddus am dywydd y diwrnod hwnnw – h.y. bydd y tywydd yn sefydlogi, un ffordd neu'r llall, ar ôl y dydd hwyaf. Felly os bydd hi'n braf, yna fe arhosith yn braf am ddeugain niwrnod, ond os y bydd hi'n bwrw, yna glaw gawn ni am ddeugain niwrnod. Hei lwc ynde?

Ond, mewn gwirionedd dydi'r goel yma, yn ôl yr ystadegau tywydd dros y ganrif a hanner ddiwethaf, ddim yn dal dŵr o gwbwl bron ac yn anghywir bron bob blwyddyn. Y peth pwysicaf ydi – y goel ei hun ynde? A'r ffaith ei bod hi'n gysylltiedig hefo'r dydd hwyaf – oedd yn ddyddiad gŵyl bwysig iawn ar un adeg.

TROAD Y RHOD A DYGWYL IFAN

Ar 21ain Mehefin fe fydd yn Droad y Rhod, neu ddiwrnod hwyaf y flwyddyn, pan fydd yr haul ar ei uchaf yn yr awyr – a cysgodion hanner dydd ar eu byrraf. Mae'r diwrnod yma yn cael ei alw hefyd yn Alban Hefin, ond rhyw enw ffug ddyfeisiwyd gan yr hen Iolo Morganwg yn y 18fed ganrif ar gyfer seremonïau Gorsedd y Beirdd ydi hwnnw.

Roedd Troad y Rhod yn ddyddiad pwysig iawn, iawn ar un adeg am y byddai'n un o'r amlycaf o'r wyth gŵyl fawr flynyddol i'r hen Geltiaid paganaidd. Byddai llawer o seremonïau a dathliadau yn gysylltiedig â fo.

Dri diwrnod yn ddiweddarach, ar y 24ain fe fydd yn Ŵyl Ifan, ac roedd hon hefyd yn ŵyl bwysig, ond yn un Gristnogol y tro hwn. Dyrchafai'r eglwys Ŵyl Ifan, oedd yn dathlu pen-blwydd Ioan Fedyddiwr, fel modd i dynnu sylw oddi ar hen ŵyl baganaidd y dydd byrraf. O ganlyniad, dros y blynyddoedd fe fu llawer iawn o gymysgu rhwng Gŵyl Ifan a Throad y Rhod. Mewn gwirionedd, erbyn y 18fed ganrif, roedd y mwyafrif o'r sylw a'r hen arferion wedi'u trosglwyddo i Ŵyl Ifan ei hun.

Be fyddai'n digwydd yn y dathliadau canol haf 'ma? Wel, yn wreiddiol, ar Noswyl Troad y Rhod, sef y noson cyn y dydd hwyaf, neu Noswyl Gŵyl Ifan yn ddiweddarach, fe fyddai coelcerthi anferth yn cael eu cynnau. Eu pwrpas fyddai geisio atgyfnerthu'r haul, oherwydd fe fyddai o hyn allan yn dechrau colli ei nerth a'r dyddiau yn dechrau byrhau. Byddai pobl yn rowlio olwyn dân i lawr o ben bryn, h.y. olwyn trol hefo gwellt amdani, a hwnnw ar dân. Yr olwyn dân yn mynd ar i waered, wrth gwrs, yn efelychu tynged yr haul am yr hanner blwyddyn nesaf, tan y dydd byrraf, ganol gaeaf.

Fe fyddai pobl yn dawnsio o gwmpas y goelcerth, yn neidio dros y fflamau ac yn rhedeg drwy'r mwg i gael eu puro, a'u hamddiffyn rhag afiechydon ac ysbrydion drwg. Ac fe fyddai ysbrydion o gwmpas hefyd oherwydd roedd hon yn un o'r tair Ysbrydnos – pan fyddai'r ysbrydion yn dŵad yn ôl o'r 'byd arall' i'n byd ni! Nos G'lanmai a Nos G'langaeaf fyddai'r ddwy Ysbrydnos arall ynde? Fe fyddai pobl hefyd yn cario ffaglau o dân o gylch y cnydau i'w hamddiffyn ac yn gyrru'r anifeiliaid drwy fwg y goelcerth.

Yn ogystal fe fyddid yn clymu torch o lysiau Ifan (*Hypericum* neu *St John's Wort*) ar ddrysau'r beudy a'r tŷ – i'r un pwrpas a'r celyn coch dros gyfnod y dydd byrraf, sef i amddiffyn yr anifeiliaid a'r teulu rhag drwg. Ac o gwmpas y dydd hwyaf bydd blodau melyn llysiau Ifan yn ymddangos hefyd a'r melyn, wrth gwrs, yr un lliw â'r haul.

Yna, ar Ddygwyl Ifan (neu Droad y Rhod yn wreiddiol) fe geid dathlu aruthrol. Canolbwynt hyn fyddai dawnsio a rhialtwch o gwmpas y Fedwen Haf neu'r Pawl Haf – tebyg iawn i Galan Mai mewn gwirionedd. Roedd y polyn yn symbol rhywiol oedd yn cynrychioli uniad Duw'r Awyr â'r Fam Ddaear, h.y. glaw, fyddai, yn anterth yr haul, yn ffrwythloni'r ddaear ar gyfer y cnydau.

Ym Morgannwg yng nghanol y 18fed ganrif fe osodid y Fedwen Haf yn ei lle y noson cynt, a honno wedi ei haddurno â thorch o flodau – a cheiliog gwynt ar ei phen, a rubanau lliwgar yn hongian oddi arni. Fe fyddai'n rhaid ei gwarchod hi wedyn – yn erbyn lladron o bentrefi cyfagos, fyddai'n ceisio ei dwyn hi. Er enghraifft, yn 1768 fe fu raid i bobl Sain Ffagan aros i fyny drwy'r nos hefo gynnau i amddiffyn y Fedwen rhag gang o hanner cant o 'ladron bedw' o Sain Niclas gerllaw.

Roedd y Fedwen Haf yn adnabyddus mewn rhannau eraill o Gymru hefyd, e.e. Caerfyrddin a Môn – ond eu bod nhw'n tueddu i gadw'r canghennau ar y fedwen, yn lle'u torri nhw i 'neud polyn, ac yn addurno'r canghennau â blodau a rubanau.

Oedd, roedd hi'n dipyn o hwyl mae'n siŵr, ond fe ddifawyd y cwbwl gan sych-dduwioldeb y 18fed ganrif, a 'does dim byd ar ôl bellach – wel, heblaw gŵyl y paganiaid modern yng Nghôr y Cewri ac ambell le arall dirgel yma ac acw ynde? Y rheswm pam y diflannodd y dathlu canol haf yw am na fasnacheiddiwyd yr ŵyl – fel y Dolig, Pasg a G'langaeaf. Yn ei lle fe ddaeth yn draddodiad i gynnal peth wmbrath o Sioeau Bach, Ralis, Carnifals a Mabolgampau dros yr haf beth bynnag – bron ym mhob pentra. Ia, rheiny ydi'n ffordd ni o ddathlu canol haf y dyddiau hyn – rhyw Ŵyl Ifan estynedig fel 'tae.

Nodiadau ar gyfer mis Mehefin

Gorffennaf

Y CYNHAEAF GWAIR

Dyma ni yn nhymor y cynhaeaf gwair – h.y. i'r rhai sy'n dal i gynaeafu gwair yn hytrach na mynd am silwair ynde? Ac os nad ydach chi'n ffarmio – mae'n siŵr gen i y bydd amryw ohonoch yn falch iawn o weld y cyfnod yma yn gorffen – ddioddefwyr clwy paill yn arbennig!

Fe fu newid aruthrol yn y dulliau o gynaeafu gwair yn yr 20fed ganrif, a hynny o fewn oes y genhedlaeth hŷn. Fe welson nhw'r bladur, yr injan geffyl a'r torrwr 'rotari' diweddaraf ar waith a bu iddynt ddefnyddio'r bicwarch i gario gwair rhydd yn ogystal â gweithio'r byrnwr bach a mawr.

Y newid mwyaf yn gymdeithasol fu'r cwymp mawr yn nifer y rhai oedd yn gweithio ar y tir o oes y ceffyl hyd heddiw. Roedd angen dipyn mwy o weithwyr bryd hynny. Ac fe fyddai llawer ohonynt yn cael eu cyflogi mewn ffeiriau yn arbennig ar gyfer y cynhaeaf gwair, yn enwedig ar gyrion yr ardaloedd mynyddig yng Nghymru. Y rhain fyddai'r 'ffeiriau cyflogi pladurwyr' fyddai'n cael eu cynnal yr amser yma o'r flwyddyn – ddiwedd Mehefin a dechrau Gorffennaf.

FFEIRIAU CYFLOGI PLADURWYR

Roedd pladurio yn grefft ynddi'i hun, a byddai llawer iawn o bladurwyr yn gweithio'n rhydd dros y cynhaeaf – h.y. yn hytrach na chyflogi ar un fferm benodol am y tymor, roeddent yn gallu ennill mwy o bres drwy symud o le i le i weithio ar gontractau byrion. Rhwng y cynaeafau gwair ac ŷd roedd 'na ddigon o waith ar eu cyfer nhw hefyd.

Roedd angen dipyn o stamina i fod yn bladurwr llwyddiannus – byddai'n treulio oriau maith mewn gwres llethol ar adegau ac, wrth gwrs, roedd rhaid iddo fod yn fedrus hefo'r bladur neu fe fyddai'r cefn yn dioddef. Ar ddechrau'r tymor fe fyddai'r corff i gyd yn dioddef! H.y. wrth swingio'r bladur yn ôl ac ymlaen, a heb arfer gwneud hynny ers y flwyddyn cynt fe fyddai'r cyhyrau'n ofnadwy o boenus drannoeth. 'Clwy'r bladur' fyddai hynny yn cael ei alw. Ond buan y daethech i arfer, ac roedd yn werth dioddef ychydig bach o ystyried y pres a'r hwyl yr oeddech am eu cael.

Ffermydd llawr gwlad fyddai'n lladd gwair yn gyntaf, yn naturiol, ac fe fyddai rhai pladurwyr yn teithio cryn bellter at y gwaith. Er enghraifft, byddai hogia o Uwchaled ac o Faldwyn yn mynd i Swydd Amwythig – mae 'na gân hyfryd iawn gan Plethyn yn disgrifio'r antur honno yn does?

Byddai ffermydd llawr gwlad wedi gorffen eu cynhaeaf erbyn tua diwedd Mehefin, a thro'r ffermydd mynyddig oedd hi wedyn. Dyma lle roedd y Ffeiriau Pladurwyr (neu Ffeiriau Gŵyl Ifan fel y'u gelwid) mor bwysig fel y gallai'r ffermwyr mynydd gyflogi gweision a morynion ar gyfer y cynhaeaf, oedd yn ddiweddarach yn eu hardaloedd nhw.

Er enghraifft, fe fyddai Ffair Caernarfon ar 26ain Mehefin; Sarn, Llŷn a Llanuwchllyn ar y 27ain; Cricieth ar y 29ain; Dolgellau ar 1af Gorffennaf a Ffair Llanllyfni (neu Ffair G'lapsan) ar y 6ed. Ffair meri-go-rownds a 'nialwch i blant ydi Ffair Glapsan (neu Gŵyl Fabsant) bellach – a phob reid yn ddrud!

Mae 'na straeon difyr am yr hen ffeiriau – Ffair Cricieth, er enghraifft, lle byddai'r llanciau fyddai wedi gorffen pladurio yn Llŷn ac Eifionydd yn dod i chwilio am waith yn Rhyd-ddu, Nantgwynant a llefydd eraill yn Eryri. Mae stori am ryw hogan – Neli Fawr Fach o Lannor yn cyflogi yn y ffair i fynd i hel gwair yn Nyffryn Mymbyr ac yn cerdded yr holl ffordd yno dros Benygwryd hefo'i chribin dros ei hysgwydd a bwndel o ddillad i newid!

Y GRIBIN OLAF!

Yn 1981 fe ês i weld Rhys Roberts, Hendre Bach, Rhos Fawr yn Llŷn i gael tipyn o hanesion yr hen ffeiriau. Roedd o yn saer coed hen ffasiwn oedd yn dal i wneud cribiniau llaw a gosod pladuriau ac wedi bod yn eu gwerthu nhw yn ffeiriau Cricieth a Llanllyfni. Ia, cymeriad oedd o, a wyddech chi be? Fe brynais i y gribin olaf un yr oedd o am ei gwneud cyn ymddeol yn gyfangwbwl. Ac mae hi'n dal ar waith gen i hel cribinion 'rôl torri'r ardd 'cw. Ond wyddoch chi be? Dwi wedi darganfod, ers hynny, bod yr hen Rhys wedi gwerthu o leiaf rhyw 4-5 o'r cribiniau olaf 'ma i bobl eraill hefyd!! Ac wedi gwneud busnes reit dda o'r peth! Mae'n siŵr i chi, unwaith fod y si ar led fod Rhys am roi'r gorau iddi, fod pawb isio cribin – un ai i weithio neu fel swfinïar! A'r cwestiwn rŵan ydi – pa un ydi'r gribin Hendre Bach olaf go iawn ynde?

Y SWIDDIN

Ar 15fed Gorffennaf, mae hi'n Ddydd Sant Swiddin, Gŵyl Swiddin, neu dim ond 'Y Swiddin'. Mae'r Swiddin, wrth gwrs, yn un o'r dyddiadau pwysicaf i broffwydo pa fath o dywydd gawn ni am rai wythnosau i ddod. Y dywediad ydi: 'Glaw ar ddydd Sant Swiddin – ddeugain dydd i ddilyn'.

Hynny ydi, os bwrith hi ar y dyddiad yma – fe fwrith am ddeugain niwrnod, ac os ydi hi'n braf – yna braf fydd hi am ddeugain niwrnod. Fe fyddai ffermwyr, yn naturiol, yn dal sylw arbennig ar dywydd y Swiddin yn arbennig ar gyfer y cynhaeaf ac mae 'na lawer iawn o bobl yn dal i wneud hynny.

Ond pwy oedd Sant Swiddin? Wel, bu farw'r Esgob Swiddin yng Nghaer-wynt *(Winchester)* yn y flwyddyn 862, ac am ei fod o, yn ôl yr hanes, mor ofnadwy o ddiymhongar doedd o ddim isio cael ei gladdu yn yr eglwys. Doedd o ddim yn meddwl ei fod o'n ddigon da i hynny ac fe fynnodd gael ei gladdu tu allan, dan y bargod, fel bod diferion glaw o'r to yn disgyn ar ei fedd.

Beth bynnag, dros ganrif yn ddiweddarach, yn 971, fe ddyrchafwyd Swiddin yn sant. Wel, os felly, roedd y myneich, am ei fod o rŵan mor bwysig, isio'i godi o a'i symud o i mewn i'r eglwys i rywle oedd yn fwy gweddus i sant. Penodwyd 15fed Gorffennaf yn ddyddiad i fynd ati wneud hynny.

Ond, mae'n amlwg fod yr hen Swiddin am aros yn ei le, oherwydd daeth yn andros o storm o fellt a th'ranau, a chenllysg a glaw, cymaint nes y bu raid rhoi stop ar y cloddio. A phob tro yr oeddent hyd yn oed yn meddwl am ailafael yn eu rhawiau roedd hi'n stido bwrw wedyn – a wnaeth hi ddim stopio am ddeugain niwrnod. Erbyn hynny roedd yr eglwys wedi cael y neges fod yn well gan Swiddin aros yn lle yr oedd, felly fe'i gadawyd yno. A byth ers hynny mae tywydd 15fed Gorffennaf yn cael ei ystyried fel arwydd o'r hyn sydd i ddod am y deugain niwrnod nesa.

DYDDIAU DAROGAN ERAILL

Mae stori Swiddin yn un dda, ond wyddoch chi be? Mae nifer fawr o ddyddiadau eraill hefyd yn y cyfnod yma – ym Mehefin a Gorffennaf – yn cael eu hystyried fel dyddiau i ddarogan y tywydd am y deugain niwrnod i ddilyn. Yn Ffrainc mae Gŵyl St Médard (8fed Mehefin) – a'r stori honno'n sôn am y sant ar daith hefo criw o bobl eraill pan ddaeth glaw mawr a gwlychu pawb yn socian ulw – heblaw am y sant ei hun am fod eryr mawr wedi hofran uwch ei ben fel ymbarél ac yn ei gadw'n sych!

Yn Awstria, y dydd pwysig ydi Gŵyl y Wetter Frau (10fed Mehefin), tra yng Nghymru fe gewch Droad y Rhod, sef y dydd hwyaf (21ain Mehefin) a Gŵyl Sant Cewydd, neu Dy'gwyl Gewydd y glaw (2il Gorffennaf). Yn ei achos o dywedir iddi fwrw'n ddi-baid am ddeugain niwrnod pan fu Cewydd farw. I nodi hynny ceir y rhigwm:

> 'Ar yr 2il o Orffennaf, os glaw fydd yn disgyn
> Bydd glaw am fis cyfan yn sicr o ddilyn'.

Yn yr Alban bydd Gŵyl Martin (4ydd Gorffennaf) ac yn yr Almaen, Gŵyl y Saith Brawd (10fed Gorffennaf) yn rheoli'r tywydd am y deugain dydd i ganlyn.

Pam deugain niwrnod tybed? Wel, mae'r rhif deugain yn nodwedd Feiblaidd (neu Ddwyrain-Canolaidd) gyffredin iawn. Meddyliwch sawl gwaith mae y rhif deugain yn cael ei grybwyll: y Dilyw yn para am ddeugain niwrnod (addas iawn yng nghyswllt Swiddin!); Moses ar fynydd Sinai am ddeugain niwrnod ac yna yn treulio deugain mlynedd yn yr anialwch i gosbi'r Iddewon am addoli'r llo aur. Bu Sodom a Gomora yn llosgi am ddeugain niwrnod, Crist yn ymprydio yn yr anialwch am ddeugain niwrnod ac mae ympryd y Grawys yn para deugain niwrnod hefyd. Mae hyd yn oed Ramadan y Moslemiaid yn ddeugain niwrnod, ac oni fu raid i Ali Baba ddelio â deugain lleidr?

Ond wyddoch chi be? A dyma roi pin yn y swigan rŵan! Dydi'r broffwydoliaeth y bydd y tywydd yn lawog, neu'n braf am y deugain niwrnod canlynol ddim yn dal dŵr – o gwbwl! Mae ymchwil gan wyddonwyr y tywydd fu'n edrych ar ystadegau'r ddwy ganrif ddiwethaf wedi dangos, pan fydd hi'n wlyb neu'n sych ar 15fed Gorffennaf, neu unrhyw un o'r dyddiau darogan eraill, nad ydi'r cyfnod sy'n dilyn yn wlypach nac yn sychach nac ydi hi ar unrhyw gyfnod arall.

Wel, os felly, tybed pam fod coelion o'r fath i'w cael yr adeg hon o'r flwyddyn? Mae'r rheswm yn syml. Hen, hen goel ddarogan y dyfodol cyn-Gristnogol sydd yma mewn gwirionedd. Roedd yn rhan o ddefodau dathlu'r dydd hwyaf – oedd, wrth gwrs, yn un o'r dair Ysbrydnos – pan fyddai, ymysg pethau eraill, yn bosib rhagweld y dyfodol. Fe geisiodd yr eglwys roi gwedd sanctaidd i'r peth ac mae'r dyddiadau darogan bellach wedi eu cysylltu â seintiau ac wedi eu gwasgaru hyd at bythefnos a mwy ar ôl y dydd hwyaf go iawn – oherwydd yr holl fân newidiadau yn y calendr dros y canrifoedd.

DYDDIAU'R CŴN

Gelwir y cyfnod sy'n ymestyn o'r 3ydd Gorffennaf hyd 10fed Awst yn 'ddyddiau'r cŵn'. Mae'n cyfateb i'r adeg boethaf o'r flwyddyn, yn para am ddeugain niwrnod ac yn gyfnod sydd â llawer o hanes iddo fo.

Fe'u gelwir yn ddyddiau'r cŵn ar ôl seren y ci, neu Sirius, sydd i'w gweld yn pefrio wrth droed Orion neu'r Heliwr. Hon ydi'r seren fwyaf llachar yn y ffurfafen yr adeg hon o'r flwyddyn. Ac am ei bod hi, dros y cyfnod yma, i'w gweld mor amlwg – ar yr un lefel â'r haul ar doriad gwawr ac ar y machlud – roedd y Rhufeiniaid wedi cymryd yn eu pennau fod y seren lachar hon mor gry' nes ei bod hi'n ychwanegu at wres yr haul. A hynny yn esbonio, iddyn nhw, pam fod y tywydd ar ei boethaf dros gyfnod y *'caniculares dies'* neu ddyddiau'r cŵn.

Rydan ni'n gwybod erbyn hyn nad oes sail i gred o'r fath, oherwydd dydi'r holl sêr, hefo'i gilydd, ddim yn gyrru hyd yn oed un rhan o 10 miliwnfed o wres yr haul i'n daear! Ond roedd hi'n goel gyffredinol yn ne Ewrop ar y pryd, ac mae hyd yn oed enw'r seren – Sirius, sy'n dŵad o'r Groeg *'seirios'*, yn golygu crasboeth. (Daw'r gair Cymraeg 'serio' o'r un gwreiddyn.)

Ond mae pwysigrwydd dyddiau'r cŵn yn mynd yn ôl llawer pellach na'r Groegiaid a'r Rhufeiniaid mewn gwirionedd. Mae'n dyddio i ddechrau gwareiddiad yr Aifft, pan sylwodd rhywun, rhywdro bod plannu hadau ym mwd afon Nîl ar ôl gorlif blynyddol yr afon yn rhoi cnydau toreithiog.

Sylwyd hefyd bod gorlif yr afon yn cyd-ddigwydd bob blwyddyn hefo ymddangosiad seren y ci, ac am fod hynny yn achlysur mor bwysig ym mywydau pobl ac ym mhatrwm y tymhorau fe benodwyd y diwrnod hwnnw, pan ymddangosai'r seren, yn ddiwrnod cyntaf Blwyddyn Newydd yr Eifftiaid. Cynhelid seremoni fawreddog iawn i nodi hynny – yr offeiriaid Eifftaidd yn eu dillad gwynion, pennau wedi siafio a'u wynebau wedi'u paentio yn nodi union safle seren y ci. A byddai honno mewn llinell o ben rhyw obelisg i bwynt penodol yn y deml. Wrth nodi ymddangosiad seren y ci fel hyn yn flynyddol y darganfyddodd yr Eifftiaid bod blwyddyn yn 365 a chwarter o ddyddiau, oedd yn dipyn o gamp 3,500 o flynyddoedd yn ôl! Yn ddiweddarach fe ychwanegodd yr Eifftiaid ddiwrnod i'r calendr bob pedair blynedd i gyfrif am y chwarter diwrnod ychwanegol ac i gadw'r calendr mewn trefn – dyna gychwyn y 'flwyddyn naid'.

Gan fod seren y ci, felly, mor bwysig does ryfedd iddi wreiddio'n ddwfn yn llên gwerin de Ewrop a'r Dwyrain Canol yn arbennig. Er enghraifft, dywedir mai dros ddeugain niwrnod dyddiau'r cŵn y llosgwyd Sodom a Gomora.

Doedd y seren ddim cweit mor bwysig i ni yng ngogledd Ewrop, efallai, am fod amaethu yma fymryn bach yn wahanol i'r Aifft. Ond eto fyth mae seren y ci yn ddigon cyfarwydd i ni'r Cymry hefyd mewn sawl ffordd, e.e. ar un cyfnod roedd yn cyfateb i gyfnod y cynhaeaf gwair.

Gall fod yn hen gyfnod digon mwll ac yn ddigon annifyr i'r rhai sy'n dioddef o glwy'r paill. Ydach chi wedi sylwi hefyd y cawn ni bla o bryfaid tai – a hen betha bach powld ydyn nhw hefyd! A'r hen bryfaid llwydion brathog 'na pan ydach chi allan – ia, y pigwr slei a brwnt hwnnw!

Ym Meirionnydd fe ddywed pobl wrthych chi mai dyma'r cyfnod perycla i gŵn fynd i ladd defaid (wel, be 'dach chi'n ddisgwyl a hitha'n ddyddiau'r cŵn ynde?). Dyma hefyd yr adeg y byddai cŵn debycaf o gael y gynddaredd. Wrth lwc dydi'r erchylltra hwnnw ddim yn ein gwlad ni ar hyn o bryd – ond roedd o yma tan ddechrau'r ganrif ddiwethaf.

Dywediad o Ddyffryn Conwy ydi mai yn nyddiau'r cŵn y dylsid torri rhedyn am y cawsai ei ddifa yn well o'i dorri bryd hynny. Wedyn fe'i helid yn deisi a'i ddefnyddio yn ddiweddarach yn sail i'r das ŷd ac i'w roi dan yr anifeiliaid yn y beudai dros y gaeaf. Hwn fyddai'r 'cynhaeaf coch' fel y'i gelwid. Yn yr ucheldir fe fyddid yn ei dorri yn ddiweddarach na hyn – i'w roi dan yr anifeiliaid – hyd yn oed ar ôl y cynhaeaf ŷd ym mis Medi. Ac er na fyddai hynny ddim llawer o werth i ddifa'r rhedyn roedd o'n sicr yn galluogi ichi gael cynhaeaf coch arall y flwyddyn wedyn – crop oedd o wedi'r cyfan ynde, ac yn gwneud tail bendigedig, yn enwedig ar gyfer tatws! Mae profiad gwlad yn ogystal â gwaith ymchwil wedi dangos mai dyddiau'r cŵn ydi'r tymor gorau i ddifa rhedyn drwy ei dorri neu ei sigo hefo rowler rhedyn arbennig – hefo esgyll haearn ar ei hyd hi. A dyna fo – cnwd yr oes a fu yn bla ein hoes ni!

GŴYL IAGO A CHRISTOFFER

Ar 25ain Gorffennaf, mae hi'n Ŵyl Iago. Ia, Gŵyl Sant Iago yr Apostol – nawddsant y pererinion. Felly, os ydach chi'n meddwl mynd ar daith i rywle – fe fydd hwn yn ddiwrnod da iawn i gychwyn. Fel mae'n digwydd, mae'n ddyddiad hefyd i Ŵyl Sant Christoffer – sef nawddsant teithwyr. Fe welsoch chi bobl, mae'n siŵr, yn gwisgo medal Sant Christoffer am eu gyddfau neu'n crogi oddi ar ddash-fwrdd eu car. Math o swyn amddiffynol i sicrhau siwrnai dda sydd yma.

Chydig iawn o sylw gaiff Gŵyl Iago yn ein calendr ni erbyn heddiw, ond roedd y dyddiad yn bwysig iawn ganrifoedd yn ôl pan oedd y wlad yma yn dal yn Gatholig.

PERERIN WYF . . .

Dan yr hen drefn Gatholig, roedd yn ofynnol i Gristnogion fynd ar bererindod unwaith yn eu bywydau – un ai i Gaersalem (er bod hynny braidd yn bell ag yn beryg yn yr Oesoedd Canol); Rhufain (eto, fymryn bach yn bell) neu i nifer o ganolfannau eraill fyddai wedi derbyn caniatâd arbennig gan y Pab. Er enghraifft, am fod barbariaid paganaidd wedi meddiannu'r tir rhyngom ni yng Nghymru a'r Cyfandir fe ordeiniodd y Pab, tua'r 5ed ganrif, fod tair pererindod i Enlli, neu i Dyddewi, gystal ag un i Rufain. Roedd hynny'n llawer haws ac yn fwy cyfleus, a challach, yn doedd?

Fe geir disgrifiad difyr iawn o griw o bererinion ar daith o'r fath yn y *Canterbury Tales* gan Chaucer. Fe sgwennwyd y stori yn y 14eg ganrif, ac mae'n sôn am griw go gymysg yn mynd o gyffiniau Llundain ar bererindod i Gaergaint. Mae'n werth ei ddarllen, h.y. os cewch chi gyfieithiad modern, dealladwy ynde? Mae'n llawn cymeriadau eithaf bywiog ar adegau hefo disgrifiadau digon agos at yr asgwrn, a lot o hwyl!

Ar y Cyfandir fe dyfodd Cadeirlan St Iago yng ngogledd Sbaen yn gyrchfan bwysig iawn i bererinion – dyma'r enwog Sant Iago de Campostella. Daeth Sant Iago yn nawddsant y pererinion a'i arwydd o – sef cragen Iago (neu *scallop*) – yr un gragen welwch chi yn logo i'r cwmni petrol, Shell – yn gysylltiedig â phererinion. Y rheswm am hynny oedd bod traethau'r ardal honno o ogledd Sbaen yn frith o'r cregyn hyn ac fe fyddai'r pererinion yn dŵad ag un adref hefo nhw fel siwfenïar, i brofi eu bod wedi cwblhau'r bererindod yn llwyddiannus. Ar eu ffordd adref roedd yn arferiad ganddynt i ddefnyddio'r gragen fel plât i fwyta oddi arni, neu fel cwpan i yfed. 'B'yta fymryn bach yn aml' fyddai'r drefn, er y byddai ambell un mwy barus na'i gilydd yn defnyddio'r gragen fel llwy, m'wn!

TEISENNAU BERFFRO

Fe welwn ni rhyw atgof o'r traddodiad yma o fwyta oddi ar gragen Iago yn Sir Fôn. Ydach chi bobl y tir mawr wedi clywed am Deisennau Berffro? Mae pawb ym Môn yn ddigon cyfarwydd â nhw, wrth gwrs. Wel, dydd Gŵyl Iago oedd y dyddiad i wneud y rheiny yn wreiddiol, ac fe fyddai'r teisennau bach hyn yn cael eu gosod ar gragen Iago i chi eu bwyta. Mae'r traddodiad o'u gwneud nhw yn dal yn fyw hyd heddiw ym Môn, ond fe'u cewch nhw fwy neu lai drwy'r flwyddyn erbyn hyn ac maent yn cael eu bwyta oddi ar blât yn hytrach na chragen. Mae'r rhai go iawn yn cael eu gwneud ar ffurf cragen.

Dyma ichi rysáit Teisennau Berffro, rhag ofn eich bod chi am drio un: 8 owns o fenyn; 8 owns o siwgwr ac 8 owns o flawd codi. Cymysgu'r menyn a'r siwgwr ac yna'r blawd yn reit dda. Rowlio'r gymysgedd a phwyso tameidiau ohono fo i'r cregyn a'u rhoid nhw yn y popdy ar wres canolig – rhyw 160°C am 20 munud, ac wedyn eu troi nhw allan ar blât hefo patrwm y gragen at i fyny. Yna, mymryn bach o siwgwr eisin am eu pennau nhw – a'u b'yta nhw. Mmm! A chi bobl y tir mawr, os cewch chi gynnig un, da chi, peidiwch ar boen bywyd â'i gwrthod – neu fe bechwch yn anfaddeuol!

Ond cofiwch chi mai rysáit gweddol fodern ydi honna – fuasai gan yr hen bererin erstalwm ddim gronyn o siwgwr ar gyfyl y cymysgedd, na menyn chwaith mwy na thebyg. Na, dim ond dyrnaid o flawd ceirch a dŵr a gorfod b'yta ei deisen fach yn droednoeth ac wedi ei wisgo mewn rhyw sachliain bigog mewn hen eglwys damp ac oer. Druan bach. Mae rhyw ddelwedd fel'na yn gwneud inni werthfawrogi moethusrwydd y byd modern. Ond dyna fo, roedd y pererin yn buddsoddi yn nyfodol ei enaid drwy aberthu pleser y byd yma i brynu lle da yn y byd nesa, yn doedd o?

Nodiadau ar gyfer mis Gorffennaf

Awst

GŴYL AWST

Ar 1af Awst fe fydd hi'n Galan Awst, neu Ŵyl Awst. *Lammas* ydi'r enw gan y Saeson ac i'r Gwyddelod a'r Albanwyr Gaeleg – *Lugnassad* ydi hi. Mae'r enw yna yn ddifyr – yn tarddu o ddwy elfen, sef 'Lugg', sydd yn enw Gwyddelig ar Lleu, duw'r haul, a 'nassad' – sydd yn air am gyfarfod (tebyg i 'nesáu' yn dydi?), neu briodas – ac fe dd'weda'i fwy am briodasau Gŵyl Awst wrthach chi yn y munud.

Roedd *Lugnassad* neu Ŵyl Awst, ganrifoedd yn ôl, yn achlysur pwysig dros ben. Roedd yn disgyn hanner ffordd rhwng C'lanmai a G'langaeaf ac yn digwydd taro rhwng y ddau gynhaeaf hefyd. Roedd hynny'n golygu fod yna seibiant oddi wrth waith y tir, a hynny ar adeg gynhesaf y flwyddyn, pan fyddai digon o fwyd ar gael, a'r ffrwythau gwylltion cyntaf yn dechrau aeddfedu.

Does ryfedd felly i gynulliadau mawr o bobl ddod at ei gilydd ac i Ŵyl Awst gyflawni sawl pwrpas – yn grefyddol, yn gymdeithasol ac yn economaidd. Roedd hi mor bwysig mewn gwirionedd nes y cynhaliai teuluoedd estynedig neu '*clans*' yr hen lwythau Celtaidd, gadoediad am tua mis, o ganol Gorffennaf hyd ganol Awst, bythefnos y naill ochr i'r 1af Awst, pryd y gwaherddid rhyfela a dwyn gwartheg a merched oddi ar ei gilydd.

Beth bynnag am hynny, pwrpas crefyddol gwreiddiol Gŵyl Awst oedd talu teyrnged i Lleu, duw'r haul, am ei waith yn gynharach yn y gwanwyn – yn ffrwythloni'r fam ddaear a rhoi ei egni wedyn i feithrin y cnydau hyd y dydd hwyaf. Erbyn hyn mae ei waith o bron wedi gorffen, ac wrth iddo ddechrau gwanio, a'r dyddiau yn byrhau – mae'r pwyslais yn symud at y rôl fenywaidd – sef rhoi genedigaeth i gynnyrch y tymor sef yr ydau, llysiau a ffrwythau. Fe fyddai offeiriadesau yn talu teyrnged seremonïol i'r Fam Ddaear, mam-faeth Lleu, a'i wragedd o. Roedd yr hen Leu yn rêl un am y merched w'chi! Roedd y seremonïau yn ymwneud â merched ifanc yn dŵad i oed, ffrwythlondeb, priodas a genedigaeth.

Cynhelid ffeiriau anifeiliaid hefyd, ac mae'n ddifyr bod y

rheiny wedi para hyd heddiw – ar ffurf y Ffeiriau Awst ar gyfer defaid, ganol y mis.

Fe fyddai torthau yn cael eu pobi o rawn cynta'r tymor – rhain roddodd yr enw i ddathliad *Lammas* yr eglwys – a'r enw Lammas yn tarddu o *Loaf-mass* yn wreiddiol. Fe fyddid yn codi llysiau o'r ddaear a mynd am y mynydd i hel llus (neu 'llyse duon bach' i chi bobl y de, ynde?) a gwneud clamp o gacan lus. Iymmm! Ac am mai ar gyfer Calan Awst y mae'r llus yn aeddfedu, does ryfedd yn 'byd bod y ffrwythau bach glas-ddu yma yn sanctaidd gan y derwyddon oherwydd eu pwysigrwydd yn nefodau Gŵyl Awst.

PRIODAS BRAWF

Un rhan bwysig iawn o'r cynulliadau Gŵyl Awst – yn enwedig yn Iwerddon – oedd bod parau ifanc, drwy drefniant ymysg y rhieni, yn cael dŵad at ei gilydd mewn 'priodas brawf'. Hynny ydi, gallasai'r pâr ifanc fyw hefo'i gilydd fel gŵr a gwraig am flwyddyn a diwrnod – sef tan yr Ŵyl Awst nesaf. Os oedden nhw'n hapus ymhen y flwyddyn gallesid troi'r uniad yn briodas go iawn – ond os nad oedden nhw, yna'r cwbwl oedd angen ei wneud oedd sefyll gefn wrth gefn o flaen pawb a cherdded oddi wrth ei gilydd. Roedd yn bosib felly rhoi terfyn ar yr uniad heb unrhyw drafferth cyfreithiol. Hynny yw, petai'n briodas go iawn ac angen ei hysgaru, fe fyddai'n rhaid, dan yr hen gyfreithiau, dalu 'galanas' neu 'compo' i'r naill deulu a'r llall – oedd yn gymhleth ac yn llawer iawn o drafferth.

Roedd hyn yn dal i ddigwydd yn Iwerddon a'r Alban tan yr Oesoedd Canol. Yn Iwerddon fe ddigwyddai hyn yn y cynulliad mawr yn Toiléan, ac fe elwid y peth yn uniad neu briodas Toiléan. Dwn i ddim tan pa bryd y parhaodd arferion tebyg yng Nghymru – ond mae o'n gyd-ddigwyddiad difyr iawn mai'r gair geir yma yn y gogledd am bâr ifanc sy'n cyd-fyw hefo'i gilydd heb briodi ydi 'byw tali' ynde?

GWYLIAU ESTYNEDIG

Yn gymdeithasol, roedd Gŵyl Awst yn gyfle gwych i bawb ddŵad at ei gilydd. Cynhelid mabolgampau, ffeiriau, gwleddoedd, rasus ceffylau, cystadlaethau rhedeg, ymaflyd codwm, ymladd pastynau, a deuai'r beirdd hefyd i gystadlu . . . a'r cantorion. Wrth gwrs mae'r mabolgampau a'r miri gwreiddiol yn dal gyda ni, ond eu bod wedi ymestyn bellach dros gyfres faith o fabolgampau pentref, sioeau bach a mawr yn cynnwys Steddfod Llangollen a Sioe Fawr Llanelwedd. Hefyd carnifals, rasus cŵn defaid a dyddiau hwyl – reit o'r Sulgwyn hyd ddiwedd Awst, sydd yn dri mis cyfan yn hytrach na mis yr hen ŵyl Awst baganaidd wreiddiol. Ar ben hyn, mae hi'n wyliau ysgol o ganol Gorffennaf hyd ddechrau Medi – sy'n creu angen am fwy fyth o 'weithgareddau' o bob math ar gyfer y plant a'r holl dwristiaid sy' hyd y lle 'ma.

Rhwng popeth mae mis Awst yn gyfnod go brysur yn dydi? Hefo'r Steddfod Genedlaethol, Gŵyl y Faenol, ailgychwyn y tymor pêl-droed, Sioe Dinbych a Fflint, Primin Môn a Sioe'r Tair Sir yng Nghaerfyrddin ac amryw o bethau eraill – gan gynnwys Gŵyl Jazz Aberhonddu a Gŵyl Bop Miri Madog. Ac fe fydd Sioe Llanrwst ar y trydydd dydd Sadwrn a Sioe Meirion ar y dydd Mercher canlynol.

LLYDAW, YR ALBAN AC IWERDDON

Yn y gwledydd Celtaidd eraill fe gewch chi ddathliadau tebyg iawn i'n rhai ni. Yn Llydaw fe geir gŵyl fawr Lorient, sy'n para am y pythefnos cyntaf yn Awst, ac yn ŵyl gerddoriaeth draddodiadol anferth wedi ei chyfuno â mabolgampau traddodiadol – fel reslo Llydewig ayyb. Yn yr Alban, yn ogystal â chyfres Gemau'r Ucheldir a gynhelir mewn sawl ardal yno o ddiwedd Gorffennaf hyd ganol Awst, fe gewch chi hefyd, ar y Sadwrn agosaf at 15fed Awst, Ffeiriau Mair mewn sawl tre (Mary Cwîn o Scots, ddim y Forwyn Fair), hefo rasio ceffylau a charnifals a miloedd o hwyl.

ARWR KILLORGLIN

Ond yn Iwerddon mae un o'r achlysuron difyrraf o bell ffordd. Ydach chi wedi clywed am Ffair y Bwch, neu y *Puck Fair* yn Killorglin yn swydd Kerry? Yn y ffair hon (ffair wartheg ydi hi gyda llaw) ar 10fed Awst bob blwyddyn fe goronir clamp o fwch gafr mawr yn frenin y ffair. Mae'r hen fwch yn cael ei osod ar blatfform uchel yng nghanol y pentref a'i gyrn yn cael eu haddurno â rubanau lliwgar.

A'r rheswm? Wel, yng nghyfnod Oliver Cromwell fe waharddwyd y clans Gwyddelig rhag cyfarfod yng Nghillorglin i gynnal mabolgampau a dathlu Gŵyl Awst. Y bygythiad oedd cyflafan lwyr, gan filwyr Cromwell, o unrhyw un ddeuai ar gyfyl y lle. Ac, wrth gwrs, ddaeth 'na neb yno – heblaw un bwch gafr mawr corniog. Ac am fod hwnnw wedi codi dau gorn(!) ar y Saeson a sefyll dros hawliau'r Gwyddelod mae o'n cael ei orseddu yn arwr yn Ffair Killorglin hyd heddiw. Da te!

Yn Llydaw ac Iwerddon mae 'na wedd grefyddol ar y dathliadau – dan ddylanwad yr Eglwys Gatholig yn amlwg. Bydd y Llydawyr yn gorymdeithio hefo cerflun o'r Forwyn Fair drwy eu pentrefi, ac yn Iwerddon, ar y Sul olaf yng Ngorffennaf, fe gynhelir y bererindod fawr i ben mynydd Croagh Patrick yn County Mayo. Yno, fe fyddant yn talu teyrnged i'r Cymro da hwnnw – Padrig, a alltudiodd nadroedd o'r wlad o ben Croagh Patrick yn ystod ympryd o ddeugain niwrnod yno. Yn Iwerddon Padrig etifeddodd fantell Lugg (neu Lleu – hen dduw haul y Celtiaid) fel canolbwynt dathliadau Gŵyl Awst.

CYRCHU I'R MYNYDD

Ond lle bynnag a pha bynnag ffurf y cymerai'r dathliadau Gŵyl Awst 'ma – roedd cyfarfodydd mawr o bobl yn elfen hanfodol o'r hyn a ddigwyddai. Mae'n ddifyr fel yr arferai pobl ddŵad at ei gilydd yr adeg yma o'r flwyddyn – dim ond i gymdeithasu – tan yn ddiweddar iawn, ac mae'n siŵr ei fod o'n dal i ddigwydd mewn ambell le hefyd. Er enghraifft, fe fyddai gweision ffermydd yn arfer cyfarfod ar gyda'r nosau braf ar ben rhyw fryn – i edrych ar y wlad o'u cwmpas ac i roi'r byd yn ei le a byddai criwiau yn mynd hefo'i gilydd i'r mynydd i hel llus.

Un enghraifft yw'r cyfarfod go fawr a gynhelid ar un adeg ar lannau Llyn y Fan Fach ar y Sul cyntaf yn Awst. Byddai cannoedd o bobl yn dod yno, yn ôl y sôn, i weld dŵr y llyn yn berwi! Ia berwi! Rhai yn d'eud mai Morwyn y Llyn oedd yn dŵad i'r wyneb – 'dach chi'n cofio'r stori enwog am Dylwythes Deg Llyn y Fan yn priodi'r bugail? Ond mae'n debyg mai ambell chwa o grychni hyd wyneb y Llyn wrth i'r gwynt daro i lawr oddi ar y clogwyn fyddai'n gyfrifol. Esboniad arall yw y byddai cannoedd o sliwod (neu llyswennod) yn dŵad i'r wyneb yr adeg yma o'r flwyddyn hefyd.

FFEIRIAU AWST

Un rhan hanfodol o weithgareddau'r hen Ŵyl Awst wreiddiol fyddai cynnal ffeiriau – y rheiny yn cael eu galw'n Ffeiriau Awst, yn naturiol! Eu pwrpas fyddai gwerthu anifeiliaid yn bennaf, ac i gael tipyn o hwyl yr un pryd. Mewn gwirionedd y Ffeiriau Awst fyddai'r rhai cyntaf mewn cyfres o ffeiriau anifeiliaid fyddai'n cyrraedd eu hanterth ym mis Medi hefo'r Ffeiriau Gŵyl Grog ayyb.

Yn wreiddiol fe gynhelid y Ffeiriau Awst ar y cyntaf o'r mis oedd hanner ffordd drwy gyfnod estynedig dathlu Gŵyl Awst yn un peth, ac roedd Gŵyl Awst hithau hanner ffordd yn union rhwng Calan Mai a Chalan Gaeaf – oedd yn ddau o uchafbwyntiau yr hen drefn amaethyddol.

Ond, pan newidiwyd y calendr yn 1752 symudodd dyddiadau'r Ffeiriau Awst i'r 12fed neu'r 13eg o'r mis.

Fe fyddai edrych ymlaen garw at Ffair Awst, pan fyddai gweision a morynion y gwahanol ffermydd yn cael diwrnod, neu o leiaf hanner diwrnod, yn rhydd i fynd i'r ffair a chael rhyw dipyn o hwyl a sbri. Fe ddeuai ffermwyr, yn enwedig ffermwyr bach a thyddynwyr, â'u hanifeiliaid yno hefyd – yn wartheg, defaid ac ŵyn i'w prynu gan ffermwyr mwy, ar gyfer eu pesgi at yr hydref. Hyd at tua dechrau'r ganrif ddiwethaf roedd ’na ffeiriau o’r fath ar 12fed Awst yng Nghaernarfon a Nefyn ac un ym Mhwllheli ar y 13eg.

TRI LLI AWST

Mae i dywydd Awst ei gymeriad arbennig ei hun – a hynny am ein bod ni erbyn hyn yn dŵad i gyfnod pan fo’r dyddiau’n dechrau byrhau a’r nosau yn dechrau oeri a gwlitho: ‘Daw Awst – daw nos’, yn ôl un hen ddywediad o Sir Frycheiniog.

Maen nhw’n d’eud y gallwn ni ddisgwyl llifogydd yn Awst – ac yn pwysleisio bod rhaid inni eu cael nhw hefyd, y Tri Lli Awst – neu wnaiff y tywydd ddim sefydlogi ar gyfer y cynhaeaf ŷd ym mis Medi. Fe glywch chi hefyd am li Awst yn cael ei ddisgrifio fel Lli Coch Awst – oherwydd bod cymaint o bridd yn cael ei olchi o’r caeau a’r torlannau i’r afonydd nes bydd y dŵr wedi troi’n hollol gochaidd. Ac mae o’n digwydd felly hefyd – ac yn drawiadol iawn pan y digwyddith.

Dywediadau eraill ydi: ‘Niwl Awst – gaeaf caled’; ‘Dechrau Awst niwlog – diwedd tesog’ ac os ydi ‘Ffair Sant Lorens [10fed Awst] heb gymylau – llond gwlad o ffrwythau’. Hefyd, os gwelwch chi wyddau a chwiaid yn cario gwellt yn eu pigau ddechrau Awst – fe fydd yn hydref stormus iawn’!

Ond, wyddoch chi be? Does ’na fawr o goel i’r arwyddion ’ma sy’n proffwydo’n bell. ’Dwi’n meddwl mai rhan o’r gred ddarogan oedd yn gysylltiedig â’r hen wyliau ydi’r rhan fwya ohonyn nhw – pan fyddai pobl yn ceisio proffwydo a hyd yn oed dylanwadu ar y dyfodol. Ond, wrth gwrs mae ’na arwyddion i’w cael ar gyfer pob amgylchiad. Er enghraifft, fe gofnododd Myrddin Fardd, ganrif yn ôl, un arwydd: ‘Nid yw Awst gwlyb byth yn dwyn newyn’ ac un arall yn d’eud: ‘Hindda Awst ni wna niwed i’r cynhaea’. Ia, dyna’r ffordd galla ynde? – cadw’ch dewisiadau yn agored – bob cyfle gewch chi!

DAW AWST, DAW NOS

Wel, mae’n amlwg erbyn hyn fod rhod y tymhorau yn treiglo – y tywydd yn dechrau oeri fymryn bach a’r gwlitho yn drymach wrth i'r dyddiau dynnu atynt eu hunain a byrhau. Mae llawer o arwyddion natur hefyd yn dangos bod newid yn y gwynt – aeron cochion yn drwm ar y coed criafol, adar yn heidio, lliwiau'r grug a'r eithin mynydd yn ogoneddus ar y topiau 'na, a'r mwyar duon yn prysur dduo. Ew! 'Dwi'n edrych ymlaen am gacen fwyar duon!

Anaml y gwelwch chi Awst nad ydi ei dywydd o erbyn diwedd y mis yn bur wahanol i'w ddechreuad o. Mae'r dywediad am Ŵyl Bartli (neu Bartholomeus) sydd ar 24ain Awst yn ategu hynny. Sôn mae hwnnw am ddiwedd y deugain dydd ers y Swiddin (sef 15fed Gorffennaf). Dyma'r geiriad: 'Bartli yn sychu dagrau Swiddin'. Hynny ydi, os glawog oedd hi yn ystod deugain niwrnod Swiddin – tywydd sych gawn ni o hyn ymlaen. Ac maen nhw'n d'eud hefyd: 'Tywydd Bartli fydd tywydd yr Hydref'.

Fel arfer, rhyw gymysgedd o dywydd gawn ni dros ddeugain niwrnod y Swiddin – a hynny er gwaethaf pa dywydd bynnag gafwyd ar ddydd Swiddin ei hun (15fed Gorffennaf). Felly, er bod y dywediadau tywydd 'ma yn betha bach neis iawn, does fawr o goel ynddyn nhw mewn gwirionedd. Yn sicr i chi, petaen nhw'n gywir fyddai 'na ddim gwaith i bobl y tywydd ar y teledu 'na bob nos – byddai'n rhaid byw heb Sian Lloyd yn chwifio'i bysedd o flaen y mapiau tywydd!

Y TYMOR SAETHU

Fe fydd y tymor saethu yn ailgychwyn hefyd. 12fed Awst neu y *glorious 12th* yw'r dyddiad hwnnw – pan mae'r 'bobl fawr', fel 'tae, a bosus y byd busnes erbyn hyn, yn mynd ati i saethu grugieir. Roedd hyn yn rhywbeth mawr iawn ar un adeg – ac mae'n dal felly ar rai stadau.

Fe fyddan nhw'n saethu ffesants ychydig bach yn ddiweddarach yn y tymor hefyd, ac mae hynny yn fy atgoffa o stori ymddangosodd yn y cylchgrawn difyr hwnnw, *Fferm a Thyddyn* (Rhif 35, G'lanmai 2005). Stori o Sir Drefaldwyn ydi hon, am saethu ffesants ar Stad Dolannog, a'r perchennog wedi saethu clamp o geiliog ffesant, a'r deryn druan wedi cwympo o'r awyr i ganol rhyw ddrysni. Pwy ddaeth i chwilio amdano fo ond gwraig y perchennog, a dyma honno'n gofyn yn dalog i un o'r curwyr, oedd yn digwydd bod wrth ymyl: *'Thomas, have you seen the Brigadier's cock – I'm sure it came down here somewhere?'* Dwn 'im be oedd yr ateb – anodd gwybod be i'w ddweud rywsut, ynde?!

Wel, be bynnag welodd yr hen Domos neu beidio, fe fyddai 'na wledd i'r llygad ym Mhlas Tan y Bwlch erstalwm yn sgîl y saethu! Wyddoch chi fod John Roberts, pen-garddwr y Plas, yn yr 1880au, yn gwario £1,000 y flwyddyn ar dyfu blodau yn benodol ar gyfer y partis saethu 'ma a 'ballu! Mae hynny'n cyfateb i rhwng £60,000 ac £80,000 heddiw.

Pan gynhelid partis o'r fath, fe fyddai'r dynion yn dŵad yn eu twîds a'u gynnau '*Purdie*' drudfawr. Byddai'r merched wedi cael gwybod ymlaen llaw mai, efallai, coch fyddai *colour theme* y penwythnos. Ar gyfer hynny fe fyddai'r tŷ wedi ei blastro hefo blodau cochion, a'r merched, ar gyfer y cinio posh gyda'r nos, yn eu dillad llaes coch a'u gemau rhuddem. Sbelan wedyn, parti arall, a'r tro hwnnw y tŷ yn llawn blodau gwynion a'r merched yn eu silc a'u perlau. A'r parti nesa, blodau melyn, a'r merched yn eu dillad melyn ac yn diferu o aur!

Roedd hyn yn golygu, yn naturiol, mai dim ond pobl o statws a chyfoeth arbennig iawn fyddai'n medru fforddio mynychu'r fath joli-hoet – yn enwedig os oedd disgwyl iddyn nhw wahodd pawb i'w parti eu hunain ryw dro arall ynde? Roedd o'n gyfle da yn doedd, i'r dosbarth breintiedig hwnnw i gymdeithasu ac i drefnu busnes, a pholitics, a hyd yn oed i drefnu priodasau rhwng teuluoedd â'i gilydd.

'Dwi'n gweld rhyw debygrwydd, yn hynny o beth, i ffermwr godro yn mynd ati i wella'i fuches laeth – ac yn trefnu i gael y tarw potel gorau i groesi hefo'i wartheg er mwyn cynyddu'r cynnyrch. Ond yn achos y crach, efallai nad bridio i gynyddu llaethowgrwydd oedd y nod, ond yn hytrach i gynyddu pŵer ym myd busnes a gwleidyddiaeth ac i gronni a chadw cyfoeth a stadau yn nwylo'r detholedig rai. Hm!

GŴYL IEUAN Y MOCH

Ar 29ain Awst, fe fydd hi'n Ŵyl Ieuan y Moch. Ond, rywsut neu'i gilydd, 'dwi ddim yn meddwl fod 'na ryw lawer iawn ohonoch chi yn adnabod yr ŵyl yma 'dan yr enw hwn erbyn hyn. Efallai y byddwch chi eglwyswyr yn gyfarwydd â'r dyddiad oherwydd dyma pryd y cofir am ddienyddiad Ioan Fedyddiwr ynde?

Fe'i cysylltid yng Nghymru 'slawer dydd hefo moch – oherwydd roedd o'n ddyddiad cyfleus i nodi, dan yr hen Gyfraith Gymreig (Cyfraith Hywel wrth gwrs) mai dyma'r adeg i droi'r moch i'r goedlan i fwyta'r mes – am fod y rheiny bellach yn aeddfedu ac yn cwympo oddi ar y coed derw. Doedd fiw ichi ollwng y moch i'r goedwig o flaen eich cymdogion gyda llaw. Roedd hynny'n groes i'r hen gyfraith oherwydd fe fyddech yn cael mantais annheg ar bawb. Y gosb fyddai gorfod talu 'galanas', neu 'compo', i'ch cymdogion am dresbasu!

Fe gedwid y moch i'w pesgi yn y goedlan wedyn tan ddiwedd Hydref. Dyna pryd y'u dygwyd adref i'w lladd, druain bach, a'u halltu ar gyfer y gaeaf – a'r cig yn cael ei grogi o'r distiau yn y tŷ. Dyma darddiad y llinell am: 'Hob y deri dando' – allan o'r hen gân werin honno – yr hob (neu fochyn), o'r deri, dan do.

Nodiadau ar gyfer mis Awst

Medi

YN ÔL I'R YSGOL

Mae hi yn ddiwedd gwyliau'r haf ar y plant. Y pethau bach – yn gorfod mynd yn ôl i'r ysgol ar ddydd Llun cyntaf Medi! Ond i dd'eud y gwir – mae'n hen bryd hefyd! Mae'r rhai acw, petaen nhw'n cyfadda, wedi cael digon ar fod adref ac yn edrych ymlaen i weld eu ffrindiau eto – er, ddim yn edrych ymlaen cymaint i weld yr athrawon efallai!

Fel mae'r plant yn ei hel hi am yr ysgol, mae'r 'gwenoliaid' yn ei hel hi'n ôl am adref hefyd. Y twristiaid neu'r 'fusutors' 'dwi'n olygu – am y byddan nhwytha hefyd yn dychwelyd i'r dinasoedd i gael eu plant yn barod am yr ysgol. Fe fydd y gwenoliaid go iawn – y rhai pluog – yn aros hefo ni am rai wythnosau eto, onibai bod y tywydd yn dirywio a'u gorfodi i ymadael yn gynt ynde? Maen nhw, fel arfer, am i'r cywion dyfu a chryfhau dipyn mwy cyn wynebu'r siwrnai fawr i'r Transvaal a'r Orenj Free State – i fanno y bydd gwenoliaid Cymru'n mynd i aeafu, yn ôl tystiolaeth modrwyo.

FUSUTORS MWYAR DUON

Ond 'dydi tymor yr ymwelwyr ddim drosodd chwaith, oherwydd am yr ychydig wythnosau nesaf fe fyddwn yn cael y 'fusutors mwyar duon'. Pobl sy' chydig yn hŷn na'r ymwelwyr haf ydi'r rhain – sydd â'u plant wedi hedfan o'r nyth, efallai. Maent yn cael eu galw'n 'fusutors mwyar duon' am eu bod yn dŵad yn nhymor hel y ffrwythau hynny.

Dwi'n cofio, pan o'n i'n blentyn fod gen i ryw berthynas ddeublyg hefo'r fusutors 'ma. Dwi'n mynd yn ôl rŵan i'r 1950au – cyn inni gael '*mod cons*' fel bath a thŷ bach yn y tŷ yn Hafod y Wern, Clynnog acw. Tŷ bach (neu 'closet') allan oedd ganddon ni bryd hynny – sef cwt sinc pwrpasol ar bwys wal talcen y tŷ, yn yr ardd, styllen bren a thwll ichi eistedd arno fo, a bwcad oddi tano ichi 'neud eich busnes, debyg iawn.

Dyna oedd y drefn – heblaw am dymor y fusutors. Bryd hynny fe fydden ni'r teulu yn cael ein gwahardd rhag defnyddio'r closet bach cyfleus yma, ac yn gorfod mynd i lawr i'r hen un yng ngwaelod yr ardd. Adeilad cerrig, cadarn, hefo crawiau llechi mawr yn do iddo fo oedd hwnnw gyda'r sêt bren, a thwll ynddi, wedi ei gosod dros yr afon fach fyddai'n llifo yn y fan honno. Roedd yna gaead pren ar y twll, a phan fyddech chi yn ei godi o, a hithau'n dywydd gwyntog, roedd 'na andros o ddrafft yn chwyrlïo drwy'r twll – hynny yw, tan ichi blwgio'r gagendor drwy eistedd arno fo!

Bob haf, pan ddeuai'r tymor fusutors, fe fyddai 'Nhad yn pladurio llwybr taclus drwy'r dail poethion inni fedru cyrraedd y closet cerrig yn saff, heb gael ein pigo.

Ond wyddoch chi be? Doeddwn i ddim yn gweld hyn yn gyfiawn o gwbwl! Pam y dylsem *ni* oedd yn byw yma, orfod mynd i'r hen gloset cerrig drafftiog tra bod rhyw estron gythra'l yn cael y closet sinc! Ac i rwbio halen ynddo fo fe fyddai Mam yn rhoi pishyn o garped ar lawr y closet sinc ar gyfer y fusutors, yn lladd y pryfaid cop druan – roedd rhai ohonyn nhw'n ffrindiau imi ac roedd gen i enw ar bob un. Byddai'n rhoid papur meddal neis i'r fusutors ei ddefnyddio, a symud y sgwariau papur newydd arferol i gyd i lawr i'r closet cerrig i ni eu defnyddio yn fanno!

Wel! Roeddwn i, yn hogyn bach tua wyth oed ar y pryd, yn teimlo anghyfiawnder y peth i'r byw – oeddwn wir!

Ond, fel arfer roeddwn i'n barod i ddiodda'r peth, yn enwedig os oedd 'na blant yr un oed â fi gan y fusutors – imi gael chwarae hefo nhw. Ond, y tro arbennig hwn rhyw 'fusutors mwyar duon' hen oedden nhw, wedi dŵad eu hunain, a'u plant wedi hen dyfu.

Mi benderfynais i ddial ar y rhain. Felly dyma aros fy nghyfle, a'r tro nesa yr aeth gŵr y fusutors mwyar duon i'r closet, dyma hyrddio hanner bricsen at y cwt – nes oedd 'na GLEC anhygoel! A finnau'n rhedag fel milgi i lawr y cae! Pan ddois i yn ôl adref – oriau wedyn – fe ge's i 'ngholbio'n ddu-las! Ac roeddwn yn ei haeddu hi hefyd – gallasai'r sioc yn hawdd fod wedi bod yn ddigon am y fusutor druan!

FFRWYTHAU'R TYMOR

Croeso Medi, fis fy serch,
Pan fo'r mwyar ar y llwyni,
Pan fo'r cnau'n melynu'r cyll,
Pan fo'n hwyr gan ddyddiau'n nosi.

Dyna fel dywedodd Eifion Wyn. A beth am englyn bendigedig Tilsli i fis Medi?

Mis y cnau, mis y cynhaeaf – mis gwair rhos,
Mis y grawn melynaf,
Mis gwiw cyn gormes gaeaf,
Mis liw'r aur, mis ola'r haf.

Gwych ynde? Mae gen innau gof byw am ymlwybro adref o'r ysgol bach yng Nghlynnog gynt – cyn i'r hen Gyngor Sir Gaernarfon ei chau hi yn nechrau'r 1970au – ac wrth fy modd yn hel cnau. Roedd 'na beth wmbrath mwy o gnau bryd hynny na chewch chi heddiw. Ai oherwydd bod mwy o wiwerod llwydion y dyddiau yma, yntau newid yn yr hinsawdd tybed? Yntau ai gor-euro delweddau'r gorffennol mae rhywun? Dwi ddim yn siŵr iawn.

'Blwyddyn gneuog, blwyddyn leuog' yn ôl yr hen ddywediad, ac mae 'na lawer o synnwyr ynddo fo hefyd oherwydd mae'r hafau poeth sy'n ffafrio cnau yn siŵr o ffafrio pryfaid brathog hefyd!

Dywediad arall ydi (a bydded hyn yn rhybudd i chi ferched): 'Llawer o gnau – llawer o fabis yr haf canlynol'! Mae'r esboniad i hwn yn ddigon amlwg, sef y byddai mynd i hel cnau yn esgus cyfleus iawn gan gyplau ifanc i fynd i'r coed efo'i gilydd a'r rhai mwyaf nwydus yn cael tipyn o hanci-panci ynde?

Mae'r englyn yn sôn am 'mis gwair rhos' hefyd – gwair y tir uchel, fyddai'n cael ei dorri'n llawer hwyrach yn y tymor na gwair llawr gwlad, oedd hwn. Doedd o fawr o gnwd – peth cwta, bras a heb lawer o werth porthiannol oedd o ac roedd angen cryn dipyn o fin ar y bladur i'w dorri hefyd. Ond fe fyddai'r hen bobl yn mynd ar ôl pob blewyn fyddai ar gael – a rhai yn grediniol ei fod yn werthfawr iawn. Efallai bod gwirionedd yn hynny oherwydd roedd yr anifeiliaid yn dipyn cletach y dyddiau hynny ac yn medru gwneud yn iawn ar borthiant llawer salach na fyddai'n dderbyniol heddiw.

FALAU FILOEDD

Pan oeddwn i yn ifanc tymor dwyn 'fala oedd yr adeg hon o'r flwyddyn. Roedd 'na 'fala neis iawn yn y Fic'rej ym mhentra Clynnog, ond roedd angen bod yn eithaf sgut i'w bachu nhw – felly, gwib i mewn, bachu rhyw hanner dwsin o 'fala, ac oddi yno'n reit sydyn cyn i'r person ein dal ni. Hogia'r capel fyddai'r lladron 'fala fel arfer – doedd fiw i'r un eglwyswr wneud y fath beth – roedden nhw yn rhy agos i'r achos yn doedden nhw? A beth bynnag roedden nhw yn cael 'fala am ddim, dim ond gofyn. Fe aethom ninnau i ofyn yn y diwedd – a chael rhai hefyd! Ia, gofynnwch a chwi a gewch, ynde!

GŴYL Y GROG

Roedd Gŵyl y Grog (14eg Medi) yn bwysig iawn ar un adeg am ei bod yn nodi cyfnodau rhai gorchwylion amaethyddol pwysig. Er enghraifft, fe ddylsech fod wedi gorffen torri'r gwair rhos erbyn hynny – a dyna roddodd y camargraff i rai bod yr elfen 'crog' yn enw'r ŵyl yn cyfeirio at grogi neu gadw'r pladuriau yn y sgubor.

'Crogi'r pladuriau a boddi'r cynhaeaf' fyddai'r gri felly pan eid ati i ddathlu gorffen y cynhaeaf a 'boddi'r cynhaeaf' yn digwydd yn y dafarn leol, yn naturiol! Ond nid crogi'r pladuriau oedd yr ystyr gwreiddiol, oherwydd mae'r grog yn enw arall ar y Groes a gŵyl eglwysig: Dyrchafiad y Groes neu *Exultation of the Cross, Holy-rood Day* neu *Holy Cross Day* sydd yma go iawn.

FFEIRIAU GŴYL Y GROG

Digwyddiadau pwysig iawn i ffermwyr y mynydd-dir fyddai'r ffeiriau defaid (arwerthiannau yn ddiweddarach, yn naturiol) a gynhelid oddeutu Gŵyl y Grog. Dyma pryd y gwerthid miloedd o foga (mamogiaid) ar gyfer eu troi at y meheryn yn nes ymlaen yn y tymor. Mae seli meheryn yn bwysig iawn hefyd a bydd rhai o'r meheryn pedigri gorau yn mynd am rai degau o filoedd o bunnau. Un o'r seli pwysicaf o'i math yn Ewrop erbyn hyn ydi'r arwerthiant meheryn blynyddol yn Llanelwedd – roedd 8,000 o hyrddod ar werth yno ddydd Llun, 19eg Medi, 2005.

Byddai'r ffeiriau yma e.e. Ffair Gŵyl Grog Caernarfon (23ain Medi) yn bwysig iawn hefyd mewn rhai ardaloedd i ffermwyr yr ucheldir gyfarfod ffermwyr llawr gwlad i drefnu llefydd a thelerau ar gyfer gyrru defaid cadw (neu ddefaid tac) ym mis Hydref i aeafu ar y tir gwaelod tan y gwanwyn canlynol.

Y GYHYDNOS

Ar 22ain Medi fe fydd yn Gyhydnos, pryd y bydd oriau golau'r dydd yr un hyd ag oriau'r nos, sef 12 awr. Roedd hyn yn gyfleus iawn i nodi treigl y flwyddyn amaethyddol ac yn disgyn hanner ffordd union rhwng y dydd hwyaf a'r dydd byrraf.

Oherwydd hynny roedd yn achlysur gŵyl bwysig yng nghalendr yr hen Geltiaid cyn-Gristnogol. Hon oedd y chweched o'r wyth gŵyl fawr flynyddol, pan ystyrid mai am yr hanner blwyddyn nesaf y byddai grymoedd y tywyllwch yn drech na'r goleuni. O ganlyniad byddid yn tanio coelcerthi a chynnal defodau i atgyfnerthu duw'r haul ar gyfer y cynhaeaf ŷd oedd ar fin cychwyn ac i ddychryn ymaith yr ysbrydion drwg fyddai o gwmpas dros y cyfnod hwn.

Gyda dyfodiad Cristnogaeth fe gafodd yr hen ŵyl baganaidd ei disodli a chynigwyd dathliadau eglwysig yn eu lle, er enghraifft Gŵyl Fathew ar y Gyhydnos ei hun, 22ain Medi, yn ogystal â Gŵyl y Grog.

SGRYMPIAU A STORMYDD

Mater o lwc fyddai cael tywydd da ar gyfer y cynhaeaf fel arfer. Gellid cael stormydd y Gyhydnos – *equinoxial gales* yn Saesneg – pan deimlid llach cynffon rhyw hyricên chwythwyd drosodd o'r America, ond wedi colli ei grym erbyn cyrraedd yma fel arfer.

Ydi mae hi'n dymor yr hyricêns yn America yr adeg hon o'r flwyddyn a'u gweddillion nhw sy'n cyfri, decini, am y glawogydd trymion â'u diferion mawr a elwir yn 'sgrympiau Gŵyl Grog' geir yr adeg hon neu 'sgrympiau codi tatws' fel y'u gelwir yn rhai ardaloedd erbyn mis Hydref.

Yn ôl un hen goel mae'r tywydd gawn ni yr adeg hon o'r flwyddyn yn debyg o aros fel y mae am gyfnod: 'Lle chwyth y gwynt ar y Gyhydnos – yno y bydd o am y tri mis canlynol'.

LLEUAD FEDI

Fe ddisgynna'r Gyhydnos ar gychwyn y tymor medi, pan gewch chi, os ydych yn lwcus, gymorth y Lleuad Fedi (y lleuad gyntaf wedi'r Gyhydnos) neu'r Lleuad Naw Nos Olau i gario'r ŷd, fyddai'n styciau yn y cae, i'r ydlan. Y rheswm dros hyn yw bod y lleuad fedi, yn gyfleus iawn, yn codi yr un pryd â machludiad yr haul fel bod digon o olau i alluogi rhywun i ddal ymlaen i gario'r ŷd ymhell i berfeddion nos. Daw'r enw 'naw nos olau' o'r ffaith y byddai goleuni'r Lleuad Fedi yn ddigon cryf i hwyluso gwaith y cynhaeaf am y pedair noson cyn ac ar ôl y lleuad lawn ei hun, sy'n gyfanswm o naw noson. Mewn rhai rhannau o dde Cymru ystyrir mai am dair noson oddeutu'r lleuad lawn mae'n bosib gweithio – felly fe'i gelwid yn 'lleuad whech nos ole'.

Maen nhw'n deud bod yr hen arfer o fynd i gopa'r Wyddfa yn llewyrch y Lleuad Fedi i weld toriad y wawr yn tarddu o'r hen ddefodau oedd yn ymwneud â thalu teyrnged i hen dduw'r haul adeg y Gyhydnos. Mae Clwb Mynydda Cymru yn trefnu taith o'r fath bob blwyddyn erbyn hyn.

Y GASEG FEDI

Yn yr hen ddyddiau fe gynhelid seremoni hwyliog a llawn miri wrth dorri'r tamaid olaf o ŷd yn y cae. Fe fyddid yn gadael tusw, rhyw droedfedd sgwâr, heb ei dorri ac yn plethu ei ben. Yna fe fyddai pawb o'r medelwyr, neu'r criw fyddai wedi bod wrthi'n cynaeafu'r ŷd, yn cymryd eu tro i daflu eu crymanau i geisio torri'r gaseg fedi neu gaseg ben fedi. Yr un fyddai'n llwyddo i'w thorri'n llwyr fyddai wedyn yn ceisio mynd â hi i'r tŷ. Ond fe fyddai'r merched yn gwneud eu gorau i atal hynny drwy daflu bwcedeidiau neu ddysgleidiau o ddŵr am ben pwy bynnag yr oedden nhw'n ei amau o geisio sleifio'r gaseg i'r tŷ i'w thaflu ar fwrdd y gegin! Fe ddaeth yr hwyl yma i ben pan ddaeth y beindar i gymryd lle'r cryman medi.

GŴYL FIHANGEL

Gŵyl arall bwysig fyddai Gŵyl Fihangel, neu 'Gwlihengal' i bobl Môn, ar 29ain Medi. Byddai pobl yn dal sylw ar hon oherwydd ei chysylltiadau â'r tywydd. Mae dywediad ym Meirionnydd sy'n darogan:

'Glaw Gŵyl Fihangel – gaeaf tawel.'

Ond y gobaith mwyaf oedd y ceid cyfnod o dywydd braf yn ei sgîl – hwn ydi'r Ha' Bach Mihangel enwog, fyddai'n gymaint o gymorth i orffen cael y cynhaea' ŷd i mewn ac i hel ffrwythau ayyb. Mae 'na lawer o enwau ar hwn – Ha' Bach Ffair Llanbedr yn Nyffryn Conwy; Ha' Bach Mari Pant yn y Berffro, Môn (yn cyfeirio at gyfnod torri moresg yng ngorllewin Môn); Ha' Bach Brynbache yn Nyffryn Ceiriog ac o gwmpas y Diolchgarwch ym mis Hydref byddai rhai yn ei alw yn Ha' Bach Codi Tatws.

Syniad difyr iawn sy'n gysylltiedig â Gŵyl Fihangel ydi na ddylsech chi, ar boen bywyd, hel mwyar duon o hyn ymlaen gan y bydd y Diafol yn ymyrryd â nhw ar y dyddiad yma. Dial mae'r hen gythraul, 'dach chi'n gweld, oherwydd roedd y Diafol yn arfer bod yn un o'r angylion ar un adeg – ond, am ei fod wedi gwneud rhywbeth o'i le, fe gafodd ei daflu allan o'r nefoedd gan yr Archangel Mihangel a gweddill y llu angylion.

Fe ddisgynnodd yr hen Ddiafol, Wiiiii....SBLAT! i ganol llwyn o fieri lle gafodd o ei gripio gan y drain nes yr oedd o'n 'stillio gwaedu! Wel, os oedd o'n flin cynt roedd o'n fwy blin wedyn yn doedd! A bob blwyddyn ers hynny ar y dyddiad yma fe ddaw'r hen ddiawl i ddial ar y mieri. Bydd yn poeri, neu waeth, ar y mwyar duon – a dyna pam, yn sicr i chi, bod mwyar duon yn mynd yn afiach ac yn llwydo a chynthroni yr adeg hon o'r flwyddyn!

Mae'n siŵr gen i mai stori i berswadio'r plant i roi'r gorau i hel mwyar duon ydi hon. Hynny yw, os dd'wedwch chi wrthyn nhw am beidio bwyta mwyar duon – rhag ofn bod cynthron ynddyn nhw, chymeran nhw ddim iot o sylw ohonoch chi, ond d'wedwch fod y Diafol wedi poeri neu bi-pi arnyn nhw ac fe gânt lonydd!

Ar y llaw arall mae llawer o bobl yn ystyried mai hen Ŵyl Mihangel (10fed Hydref) ydi'r dyddiad cywir i roi'r gorau i hel mwyar duon, sy'n rhoi bron i bythefnos arall i gasglu – os ydach chi'n barod i fentro!

Nodiadau ar gyfer mis Medi

Hydref

Mae hi'n ddechrau Hydref, ac yn ôl un hen ddywediad hynafol:

> 'Hydref – hydraedd hyddod,
> Melyn blaen bedw, gweddw hafod.'

'Hydraedd hyddod' yw bref y ceirw gwylltion yn y tymor ymlid. Ac yn ôl *Geiriadur Prifysgol Cymru* mae 'Hydref' yn tarddu o 'hydd-fref'. Ella nad oes llawer o geirw gwylltion ar ôl i berfformio fel hyn yng Nghymru bellach – rhaid mynd i'r Alban i weld hynny. OND mae gennym ni eifr gwylltion yn Eryri ac mae y rheiny yn ddigon o sioe yr adeg hon o'r flwyddyn pan fydd y bychod yn codi'n uchel ar eu traed ôl ac yn clecian cyrn fel pistols!

'Melyn blaen bedw' yn golygu bod dail yn troi eu lliw wrth gwrs, a 'gweddw hafod' yn ein hatgoffa ei bod yn amser dod â'r anifeiliaid i lawr o'r mynydd i dir cysgodol yr hendref dros y gaeaf.

TYWYDD YR HYDREF

Mae 'na amryw o arwyddion tymhorol yn ymwneud â'r Hydref:

> 'Hydref hir a glas – blwyddyn newydd oerllyd gas.'

Fersiwn arall (o Nefyn) ydi:

> 'Hydref gwlyb – gaea' caled.'

Ystyr y ddau arwydd yma ydi: os ydi hi'n wlyb rŵan mae 'na siawns iddi sychu'n nes ymlaen yn y gaeaf – fydd yn rhoi tywydd oer inni.

Ar y llaw arall:

> 'Hydref teg wna aeaf gwyntog.'

– Hmm! Does dim ennill yn nagoes!

Ac un bach arall: 'Os daw hi'n eira ar y mynyddoedd cyn diwedd y mis fe fydd yn erthylu'r gaeaf' e.e. 'Eira ar Eryri cyn Ffair Borth (24ain Hydref) yn erthylu'r gaeaf' (Môn); neu 'Eira cyn Calan Gaeaf . . . ' (Aberystwyth). Ystyr hyn yw na chawn ni ddim llawer o eira am weddill y gaeaf. Yn ei le fydd dim byd ond glaw a mwd yn y flwyddyn newydd!

NEWIDIADAU TYMHOROL

Mi fedrwn ddisgwyl llawer o newidiadau tymhorol amlwg iawn y mis hwn – nid yn unig o ran y tywydd yn oeri ond o ran gwedd y wlad o'n cwmpas hefyd. Hynny ydi, i'w gymharu â thymor y deffro, sef y gwanwyn, tymor y cau i lawr, yn bendant, ydi'r hydref.

Bydd y dail yn troi eu lliw – y coed castan yn cochi yn ogystal â'r coed ffawydd a'r bedw hefyd (y 'melyn blaen bedw' ynde?) ac erbyn canol y mis fe fydd y coed derw'n troi. Ond, wrth gwrs, i gael arddangosfa gwerth chweil mae angen cael tywydd teg, h.y. digon o haul a dim gwynt neu fe fydd y cwbwl wedi chwythu i ffwrdd cyn inni sylwi bron – gan adael dim ond brigau moelion.

Y rheswm dros gwymp y dail ydi i alluogi'r goeden i osgoi barrug y gaeaf. Mae unrhyw flaguryn sy'n dal i dyfu, neu ddeilen sy'n dal i weithio, yn agored iawn i gael ei difa gan rew o hyn ymlaen wrth i'r dŵr yn eu celloedd rewi a chwyddo a chwalu. Meddyliwch – sut fuasech chi'n hoffi cael crisialau rhew yn tyfu fel llafnau cyllyll y tu mewn i'ch celloedd. Mae'n swnio'n waeth na'r *horror movies* 'na mae Owain y mab 'cw mor ffond o'u gwylio!

OSGOI GWAETHA'R GAEAF

Ond sut mae rhai coed yn gallu cadw'u dail? Dyna be mae coed conwydd a llawer o blanhigion bytholwyrdd eraill yn ei wneud ynde? Wel, fel mae hi'n oeri, maen nhw yn mynd ati i droi'r siwgwr yn y nodd yn rhyw fath o *antifreeze*. Hwn ydi'r ystòr, neu'r '*resin*', sydd yn y boncyff a'r dail. Dyna pam y gall coed conwydd dyfu yn llawer pellach i'r gogledd ac yn llawer uwch ar y mynyddoedd na choed collddail. Ac mae o'n addasiad synhwyrol hefyd o ystyried fod y tymor tyfu mor fyr yn y llefydd yma. Golyga hynny nad oes digon o amser i dyfu set newydd o ddail ar gyfer yr ychydig wythnosau o haf y maent yn ei gael yng ngwledydd Llychlyn, Siberia neu fynyddoedd yr Alpau ayyb. Ond rhybudd ichi – 'dydi hwn ddim cweit yr un peth â'r *antifreeze* yn eich car chi, felly peidiwch, da chi, â rhoi resin, na *pine disinfectant* o ran hynny, yn rheiddiadur y car – f'asa fo ddim yn lles i'r peiriant, ddim mwy na fuasai *antifreeze* car yn dda i'r goeden!

Mae planhigion llai yn osgoi'r gaeaf yn gyfangwbl yn hytrach na'i ddioddef – llawer yn marw'n ôl yn gyfangwbl ac yn byw drwy'r gaeaf fel hadyn, gwreiddyn neu fylb – yn glyd a chynnes yn y pridd. Rewodd neb erioed ym mol ei fam yn naddo?

Dyma dymor yr hadau a'r ffrwythau wrth gwrs. Bydd aeron cochion y coed criafol yn pwyso'r canghennau i lawr a'r holl aeron moch ar y coed drain gwynion yn cochi'r gwrychoedd. Ond fe gawsom addewid o hynny yn y gwanwyn pan oedd y gwrychoedd yn wyn o flodau.

Ateb arall, ond dim ond i'r rhai sy'n ddigon ffodus i fod yn symudol, ydi codi pac a'i hel hi o'ma i wledydd c'nesach. Bydd y gwenoliaid olaf yn ymadael y mis hwn. A wyddoch chi be? 'Dwi'n gweld dim bai arnyn nhw – yn gadael y stryllwch di-bryfaid yma am haul y de!

CONCYRS

Mae hi'n dymor y concyrs – neu 'gnau ceffylau' – yn'dydi? Fe fyddwn ni'n mynd fel teulu i Lanrwst bob blwyddyn i'w hel nhw. Mae 'na goed castan mawr bendigedig yn y parc ochor arall i'r bont yn fan'no, ac mae'n bosib hel bageidiau ohonyn nhw yn sydyn iawn, a rheiny yn logia anferth hefyd. Ond oww!! Och a gwae!! Glywsoch chi? Mae 'na ryw swyddog haerllug a dwl yn r'wla, ac wedi mwydro am yr 'Helth and

Seffti' wedi datgan fod chwarae concyrs yn beryg! A gwaetha'r modd mae 'na lawer o ysgolion drwy'r wlad wedi gwrando arno fo – a hyd yn oed wedi gwahardd chwarae concyrs ar dir yr ysgol onibai fod y plant yn gwisgo gogls! Ia, gogls! Rhag ofn i dameidiau chwyrlio i lygaid y plant wrth i'r concyrs daro! Fy ymateb cyntaf, rhaid imi gyfaddef, pan glywais i'r fath rwtsh oedd – 'Be **** sy' ar y **** dwl 'ma rŵan!!?'

Ond dyna fo, mae'r oes wedi newid yn'tydi? Ac mae'n siŵr gen i fod y prifathrawon druain 'ma yn gorfod amddiffyn eu hunain rhag ofn i ryw riant weld cyfle am geiniog petai Joni neu Jini bach yn cael shrapnel 'ynde? Be nesaf 'dwch – gwahardd rasys mulod yn yr haf m'wn!

HEN ŴYL MIHANGEL

Mae hi'n Hen Ŵyl Mihangel ar 10fed Hydref. Fe soniais am hon o'r blaen gan grybwyll na ddylsech hel mwyar duon o hynny ymlaen oherwydd fod y diafol wedi poeri arnyn nhw ac mai dyna pam fod y mwyar duon yn llwydo a chynthroni yr amser hon o'r flwyddyn. Felly: 'Ta-ta rowli powli, gwneud jam a cacan blât … '

DIOLCHGARWCH

Fe fydd yn Ddiolchgarwch yng Nghapel Salem, Llanllyfni ar y trydydd Sul yn Hydref. Mae hon yn hen, hen ŵyl ac, yn ei gwahanol ffurfiau, yn debyg o fod yr ŵyl hynaf a'r ehangaf ei dosbarthiad drwy'r byd. Cafodd ei harddel gan holl wareiddiadau'r ddynoliaeth mewn rhyw ffurf neu'i gilydd ymhell cyn i grefyddau mawr y byd gael eu harddel. Ydi, mae'r syniad o ddathlu a diolch i Dduw (neu'r duwiau) am lwyddiant y cynhaeaf neu'r helfa dymhorol yn rhywbeth hollol sylfaenol inni i gyd – o frodorion Awstralia ac America i dyfwyr reis Tsieina fel i ninnau yma yng Nghymru fach.

Mae'r dyddiadau yn amrywio rhwng y gwahanol wledydd – yn dibynnu pryd mae pa bynnag gynhaeaf sy' gennych yn cael ei ddathlu. Ar y pedwerydd dydd Iau yn Nhachwedd y bydd yr

Americanwyr yn dathlu ac mae eu diwrnod *Thanksgiving* nhw yn wyliau cenedlaethol pan fydd y teulu gwasgaredig yn dŵad at ei gilydd i fwynhau pastai bwmpen a thwrci tew.

Ar un adeg, yma ym mro chwareli Dyffryn Nantlle, a thrwy Wynedd a Môn yn gyffredinol yn ôl be 'dwi ar dd'allt, ar y trydydd Llun ym mis Hydref y cynhelid y Diolchgarwch – Dydd Llun Diolchgarwch yn Arfon a Dydd Llun Pawb oedd yr enw ym Môn. Roedd hwn yn ddiwrnod o wyliau, ond yn union fel dydd Sul – dim gwaith, heblaw godro, a thair gwaith i'r capel. Byddai'r adeilad hwnnw, yn naturiol, wedi ei addurno â llysiau a ffrwythau – wel, am y rheiny yr oedd y diolch ynde? Byddai'r cynnyrch, wrth reswm, wedi dŵad o erddi a ffermydd lleol – nid o Tesco fel heddiw!

Wedyn fe'i newidiwyd i'r trydydd Sul, oedd yn arfer bod ar gychwyn wythnos wyliau hanner tymor yr ysgolion. Roedd hynny'n gyfleus iawn oherwydd hon oedd yr 'wythnos godi tatws' mewn llawer lle ac roedd cael y plant gartref i helpu yn gymorth mawr! Plannu'r Pasg a chodi Ddiolchgarwch oedd y drefn hefo'r tatws, gan obeithio na cheid glaw trwm a elwid yn sgrympiau codi tatws!

Ond, yn eu doethineb, fe newidiodd yr awdurdodau addysg ddyddiadau'r hanner tymor a'u rhoi wythnos yn ddiweddarach. Yn sgîl hynny fe wthiwyd y Diolchgarwch wythnos yn ei flaen – sef i'r pedwerydd Sul ym mis Hydref, ac yno y mae o hyd heddiw mewn llawer man. Ond fe gadwodd Salem, Llanllyfni at y trydydd Sul, sy'n cyfri am y drefn a geir yno.

Mewn ardaloedd eraill, fel dyffrynnoedd Conwy a Chlwyd mae'r drefn chydig yn wahanol – ac fe gewch nifer o wahanol ddyddiadau sy'n amrywio o un lle i'r llall. Bydd capeli rhyw ardal arbennig yn cytuno ar ddyddiad ac yn dŵad at ei gilydd, yn undebol felly, i ddathlu'r Diolchgarwch.

Byddai cyfnod y Diolchgarwch yn gyfleus iawn hefyd i nodi gweithgareddau tymhorol eraill. Er enghraifft yng nghanol Ceredigion, noson Ffair Cynon Ddu, ar yr 2il ddydd Iau ar ôl 10fed Hydref (Hen Ŵyl Fihangel) fyddai'r adeg i roi'r gwartheg i mewn am y gaeaf:

'Ffair Cynon Ddu – amser dod a'r da i'r tŷ.'

Tybed faint o ffermwyr y fro sy'n dal i roi'r gwartheg i mewn ar y dyddiad hwn?

Rhai sy'n llawn diolchgarwch o fath arall yr amser hwn o'r flwyddyn ydi'r meheryn mynydd! O'r diwedd maen nhw'n cael mynd at y defaid! Mae pawb â'i ddyddiad ei hun i droi'r meheryn at y defaid. Bydd y meheryn llawr gwlad neu y rhai sy'n gwasanaethu'r defaid siediau – sy'n dŵad ag ŵyn cynnar – wedi hen fod wrth eu gwaith. Ond hogia'r mynydd wedi gorfod aros – neu fe fydd peryg i'r ŵyn bach gael eu geni'n rhy gynnar yn y gwanwyn yn bydd? I rai, Hen Ŵyl Fihangel, 10fed Hydref fyddai'r dyddiad i droi'r meheryn at y defaid – i gael yr ŵyn bach ddechrau Mawrth. I eraill, Dydd Llun Pawb/Diolchgarwch fyddai'r dyddiad – er mwyn cael ŵyn bach fwy at ganol Mawrth.

BYD Y FFYNGAU

Mae hi'n dymor y ffyngau yn dydi? Neu gaws llyffant/madarch /bwyd y boda, be' bynnag yr ydach yn eu galw nhw yn eich ardaloedd chi. Mae 'na doraeth ohonynt a'r rhan fwyaf, fel arfer, yn ffrwytho yr adeg hon o'r flwyddyn. Ond dros y blynyddoedd daeth yn amlwg bod y tymor wedi ymestyn gryn dipyn wrth i'r hinsawdd gynhesu. O ganlyniad fe gewch amrywiaeth dda o fadarch o Fehefin i Dachwedd erbyn hyn.

Mae'n bosib nabod rhyw 200 math yn weddol hawdd, ond fe gewch chi tua deg gwaith mwy na hynny, tua 2-3,000, os ydych yn arbenigwr sy'n medru gwahaniaethu rhwng y rhywogaethau yn fanwl. Yn aml mae angen meicroscôp a 'set gemegol' i wneud hynny! A chofiwch mai dim ond y ffyngau mawr *(macro-fungi)* yw y rhain. Ceir rhai miloedd yn ychwanegol o'r ffyngau *micro*, sef y mathau sy'n achosi llwydni neu rŵd ar blanhigion ayyb.

Yn wahanol iawn i wledydd y Cyfandir, 'does na fawr o draddodiad o fwyta gwahanol ffyngau yma, heblaw am y madarch cyffredin, neu'r 'myshrwm' ('shrwmps' neu 'grawnunnos' yn ne Cymru) sy'n tyfu mewn hen borfa ym mis Awst a Medi. Wedi ei ffrïo hefo cig moch ac ŵy … iym! Does dim byd gwell yn' nagoes?

Mae'n siŵr gen i mai cyfuniad o ofn bwyta'r pethau anghywir efallai ond hefyd ofergoeliaeth am berthynas ffyngau â gwrachod fu bennaf gyfrifol am hynny. Ond os ydach chi'n barod i fentro yna mae hi'n wir werth dŵad i 'nabod y goreuon megis y cap tyllog bwytadwy *(cep)*, y parasol, siantarel, caws ceffyl, cap brau, y goes las, ayyb – rhyw 12-15 ohonyn nhw i gyd. Mae'n talu hefyd (hanfodol!) dŵad i nabod y nifer tebyg o rai gwenwynig – yn enwedig y rhai peryclaf fel yr angel angau, cap marwol, y cap panther a'r cleisiwr melyn, er mwyn medru eu hosgoi!

Ffrwyth yn unig ydi cap gweladwy y madarch neu gaws llyffant. Cofiwch fod 90% o'r corff wedi ei wasgaru'n we o ffilamentau meicrosgopig drwy'r pridd neu be' bynnag mae'r ffwng yn tyfu ynddo fo. Mae'r gwahanol ffyngau yn byw ar bydredd pethau organig gan ryddhau'r maeth sy' wedi ei gloi ynddyn nhw. Dyma pam fod y capiau mor amlwg yr adeg yma o'r flwyddyn – yn gwasgaru eu sboriau ar adeg pan fo cymaint o blanhigion yn marw cyn y gaeaf a'r coed yn bwrw'u dail. Bydd y sboriau yn gwasgaru i ganol y rhain, a'r ffyngau wedyn yn tyfu, ac yn pydru popeth dros y gaeaf gan rhyddhau llawer iawn o wrteithiau yn ôl i'r pridd. Bydd y maeth hwnnw ar gael wedyn ar gyfer y ffrwydriad mawr o dyfiant sy'n digwydd pan mae planhigion yn dadebru yn y gwanwyn a thyfu dros yr haf canlynol. Onibai am hyn fyddai'r dail ddim yn pydru ac fe fuasai hi'n amhosib mynd am dro drwy'r coed – am y b'ysach at eich bogal mewn dail!!?

GWRACHOD A THYLWYTH TEG

Mae'r cysylltiad rhwng ffyngau a gwrachod a thylwyth teg yn un difyr. Welsoch chi rioed luniau mewn llyfr am dylwyth teg lle nad oedd 'na ryw gorrach bach yn eistedd ar ben caws llyffant, yn naddo? A'r madarch coch hwnnw hefo'r smotiau gwynion ydi o fel arfer. Hwn ydi agaric y gwybed neu'r madarch coch gwynfannog, a'r rheswm am y cysylltiad ydi bod cyffuriau arbennig yn hwn sy'n medru rhoi rhithweledigaethau neu 'haliwsineshons' ichi. Mae hynny'n golygu petaech chi'n cymryd dipyn ohono fo, mi fuasech yn dechra'u gweld nhw! Ia ... tylwyth teg a phob mathau o bethau eraill o'ch cwmpas chi'n bob man!!!

Ei gymryd o ddeudis i ynde, ddim ei fwyta fo? A'r rheswm am hynny ydi bod 'na amryw o gyffuriau yn y madarch hwn – ac fe fyddai rhai o'r rhain yn eich gwneud yn sâl ofnadwy. Ond os fedrwch chi gael yr un cyffur da ohono fo *(Muscimol)* – fe fyddwch yn teimlo'n eithriadol o hapus a braf ac yn benysgafn iawn – yn union fel petaech yn hedfan! Hedfan? ... ydach chi'n dechrau gweld y cysylltiad hefo gwrachod rŵan? Be oedden nhw'n geisio'i wneud yn dawnsio o gwmpas eu coelcerth G'langaeaf fyddai cysylltu – drwy help y cyffur yma – hefo'r byd arall i fedru gweld i'r dyfodol ac i alw ar help bodau goruwchnaturiol i weithredu eu swynion ayyb!!

A sut oedden nhw'n gwneud hynny? Ddim drwy gymryd y madarch drwy'r geg, rhag mynd yn sâl, ond drwy rannau eraill o'r corff. Y drefn fyddai rhwbio'r madarch hudol – y madarch coch gwynfannog ar goes ffon neu ysgub, yna eistedd yn noeth hefo'u coesau naill ochor i'r ysgub, a dechrau mynd i ysbryd y darn fel petae!! Buan iawn y byddai'r cyffur yn ymdreiddio i'r corff drwy groen sensitif y rhannau personol o'r corff a'u bod yn teimlo eu bod yn hedfan! Wiiiiii! Dan yr amgylchiadau hynny a than ddylanwad y ddefod a'r llafarganu hawdd fyddai i'r rhithiau droi'n realiti. Does dim rhyfedd i'r eglwys geisio gwahardd y fath beth!! ... a dim rhyfedd chwaith fod pobl mor amheus o gawsiau llyffaint hyd ein dyddiau ni!!

NOS G'LANGAEAF

Rydym yn arfer cysylltu Nos G'langaeaf ag ysbrydion a gwrachod. Ond ydach chi wedi sylwi cymaint mwy o sylw roir i hynny y dyddiau yma? Pan o'n i'n ifanc doedd fawr o sôn am G'langaeaf – Guto Ffowc, neu Noson Tân Gwyllt, 5ed Tachwedd, oedd yn cael y sylw bron i gyd.

Ond fe fyddem ni yn dweud straeon ysbrydion gyda'r nos a gwneud jac lantar hefo rwdan wedi ei gwagio, a channwyll tu fewn iddi. Pwmpen ydi'r ffasiwn y dyddiau yma ynde? A hynny'n dangos y dylanwad Americanaidd siŵr i chi – ac mae hyd yn oed y bwmpen wedi mynd yn blastig erbyn hyn!

Y FLWYDDYN NEWYDD GELTAIDD

Ydach chi wedi ystyried be sy' tu ôl i'r miri ma? – be oedd ystyr y G'langaeaf gwreiddiol?

Wel, G'langaeaf oedd yr ŵyl bwysicaf un i'r hen Geltiaid am mai dyma ddiwedd yr hen flwyddyn a chychwyn eu blwyddyn newydd nhw – nid 1af Ionawr fel heddiw.

Roedd y flwyddyn Geltaidd yn seiliedig ar y tymhorau amaethyddol, a G'langaeaf yn nodi diwedd gwaith y flwyddyn a'r adeg pan ddeuai'r bugeiliaid yn ôl o'r hafotai ar y mynydd, wedi iddynt dreulio'r haf yno hefo'u hanifeiliaid. Roedd arwyddion marwolaeth yr hen flwyddyn ymhob man – cwymp y dail, cnydau a ffrwythau gwylltion wedi eu casglu a'u cadw a byddai anifeiliaid yn cael eu lladd a'u halltu neu'r cig yn cael ei sychu at y gaeaf. Byddai cig gafr wedi'i sychu, neu 'coch yr wden', yn boblogaidd yn enwedig yn yr ucheldir.

Byddai'r Derwyddon yn cynnal defodau crefyddol i nodi marw'r hen flwyddyn ac i sicrhau parhad bywyd drwy'r gaeaf i'w ail-eni yn y gwanwyn. Elfen bwysig o'r seremonïau fyddai cynnau coelcerthi anferth, fel dathliad cyhoeddus o ail-uno'r teuluoedd a chyfannu'r aelwydydd wedi dychweliad y rhai fu i ffwrdd dros yr haf. Ond hefyd, byddai'r tân yn gwarchod pawb rhag ysbrydion drwg! Ac roedd llawer o rheiny o gwmpas am fod G'langaeaf yn un o'r tair Ysbrydnos – pan fyddai pyrth Annwfn (y byd arall) yn agor a'r ysbrydion yn gallu dod drwodd i'n byd ni. Dyna pam yr oedd dweud straeon ysbrydion o gwmpas y tân yn hwyr i'r nos yn dal yn arfer poblogaidd – tan oes y trydan a'r teledu.

Chydig iawn o fanylion am y seremonïau crefyddol paganaidd sydd wedi para – am fod yr eglwys wedi eu dileu ynghyd â'r wybodaeth amdanynt. Ond gwyddom y byddai aberthu pobl yn digwydd, a byddai offeiriadesau'r hen grefydd, gwrachod i ni, yn defnyddio'r madarch hudol coch hwnnw hefo'r smotiau gwynion i gael eu hunain i berlewyg rhithweledigaethol i fedru cysylltu hefo bodau o'r byd arall.

Ond er i'r eglwys lwyddo i ddileu'r hen grefydd fe barhaodd rhai elfennau, mwy diniwed, i'n dyddiau ni bron, ar ffurf arferion a choelion gwerin a throsglwyddwyd y coelcerthi i'r 5ed Tachwedd ers cyn cof erbyn hyn:

- Yn wreiddiol ceid coelcerth ar ben bryn a phan ddiffoddai'r tân byddai pawb yn rhedeg adre gan weiddi: 'Adra! Adra! Dros y gamfa! Hwch ddu gwta'n cipio'r ola!' (Roedd yr Hwch ddu yn un o ellyllon Annwfn.)
- Byddai gwartheg yn cael eu gyrru drwy'r mwg i'w puro a'u cadw rhag afiechydon.
- Rhedai hogiau rownd y goelcerth a cheisio codi gwreichion – yr agosaf i'r tân gawsai fwyaf o lwc.
- Teflid carreg wedi ei marcio i'r tân, byddai ei chanfod y bora wedyn yn lwcus a methu yn dod ag anlwc!
- Byddid yn taflu cnau i'r tân ac os ceid 'Clec!' roedd yn lwcus, a 'Phhht . . . ' yn arwydd drwg! Roedd clecian y cnau, neu danio dryll yn cadw ellyllon draw – sŵn a efelychid gan dân gwyllt (bangars) yn ddiweddarach.
- Adref ceid gemau ar yr aelwyd, fel 'twca falau' lle byddid yn ceisio codi afal allan o ddŵr efo'r dannedd.
- Un cyswllt amlwg hefo byd y meirwon fyddai i'r rhai dewr iawn fynd i'r fynwent am hanner nos i glywed sibrwd, o ganghennau'r ywen, enwau'r rhai fyddai'n marw yn y flwyddyn i ddod!

CANNWYLL YN LLE COELCERTH

Roedd yn amhosib i'r eglwys gael gwared ar yr hen ddefodau yma am eu bod yn rhan mor bwysig o'r dathliadau tymhorol – felly dyma geisio eu Cristioneiddio drwy sefydlu dwy ŵyl Gristnogol bwysig yn y cyfnod yma – symudwyd Gŵyl yr Holl Saint o 13eg Mai i 1af Tachwedd gan y Pab Gregory yn 835 OC a phenodwyd 2il Tachwedd yn Ŵyl yr Holl Eneidiau/Gŵyl y Meirw. Fel Gŵyl Fair y Canhwyllau ddechrau Chwefror bwriad y gwyliau Cristnogol hyn oedd cyfnewid fflam y goelcerth yn fflam y gannwyll mewn gwasanaeth eglwysig.

Difyr hefyd bod Sul y Cofio (2il Sul Tachwedd) a Dydd y Cofio (11eg) sy'n coffáu'r rhai a laddwyd yn rhyfeloedd mawr yr 20fed ganrif yn digwydd mor agos at G'langaeaf, sydd â chysylltiad mor amlwg â'r meirwon a marwolaeth yr hen flwyddyn Geltaidd.

G'LANGAEA'N TROI'N 'HALOWÎN'

Mae dathlu G'langaeaf wedi dod yn ei ôl i ffasiwn eto. Hynny ydi, fel mae ystyriaethau iechyd a diogelwch wedi difetha hwyl Noson Guto Ffowc, mae'n llawer mwy o hwyl i'r plant gael parti disgo lliwgar, hefo'r holl fasgiau gwrachaidd a'r gêr i gyd a'r *'tric or trît!'*

Difyr fel mae'r rhod yn troi – yr hen ddathliadau nos G'langaeaf (neu Halowîn) yn symud i'r America hefo'r ymfudwyr Ewropeaidd cynnar ond eu bod, i raddau helaeth yma, yn cael eu trosglwyddo i 5ed Tachwedd yn eu hen gynefin. Ond erbyn hyn mae Noson C'langaeaf yn cael sylw cynyddol a choelcerthi 5ed Tachwedd yn colli eu poblogrwydd. Ac wrth gwrs, mae'r Halowîn Americanaidd yn cael ei boblogeiddio am ei fod yn esgus arall i gwmnïau masnachol ein godro ni eto fyth, rieni druan!

Ydi, mae'r G'langaeaf modern yn prysur dyfu'n fusnes mawr. Ganol y 1980au amcanwyd bod y gwariant ym Mhrydain ar ddillad a masgiau gwrachod tua £12 milliwn, ond erbyn 2006 roedd y swm wedi cynyddu i £120 miliwn.

Mae poblogrwydd y *'tric or trît'* hefyd yn cynyddu, er mawr boendod i sawl dioddefwr a fethodd fynd i 'ysbryd' y darn fel 'tae. Yn America lle mae hwn yn hen arfer, fe fydd dros 80% o oedolion wedi stocio'n dda efo fferins i'w rhoi i'r plant ar riniog y drws, a'r mwyafrif llethol o'r gwrachod a'r bwganod bach lliwgar yn eu derbyn yn ddiolchgar heb unrhyw drafferth.

Nodiadau ar gyfer mis Hydref

Tachwedd

HEL SOLOD

Glywsoch chi am yr hen arfer, sydd wedi hen orffen erbyn hyn, o 'hel solod' ar 1af Tachwedd? Ym Mhenfro a'r Gororau y digwyddai'n bennaf ac mae'r enw 'solod' yn tarddu o *'soul cakes'*. Byddai'r plant yn mynd o dŷ i dŷ i gasglu'r cacennau bach yma, a elwid hefyd yn 'fwyd cennad y meirw', oedd yn addas iawn o ystyried cyswllt G'langaeaf â marwolaeth yr hen flwyddyn, ac ysbrydion. Fe fyddid yn mynd â'r 'solod' at yr offeiriad i'w bendithio cyn eu bwyta.

TYWYDD TACHWEDD

Gyda'r nos yn cychwyn awr ynghynt yn sgîl troi'r clociau ddiwedd Hydref ac oerni'r gaeaf yn dechrau gafael, yn enwedig yn y boreau a gyda'r nosau, neu 'oeri ddeupen y dydd' yn ôl yr hen ddywediad, hawdd gweld pam mai tawch-wedd yw tarddiad enw'r mis hwn.

Dim rhyfedd bod pobl Uwchmynydd ym mhendraw Llŷn yn galw Tachwedd: 'y dyddiau duon bach' sydd yn enw da iawn yn dydi? 'Tachwedd dechrau galar' ydi disgrifiad Myrddin Fardd yn *Llên Gwerin Sir Gaernarfon* (1908), tra bo Dewi Machreth yn ei gasgliad o 'Arwyddion Tywydd Meirionnydd' yn cofnodi:

> 'Tachwedd a'i laid a'i niwl o hyd
> Sy'n gwneud i ni anniddan fyd.'

Rargian – rhaid imi beidio swnio mor brudd, neu waeth imi droi'n ddraenog ddim yn cysgu dros y gaeaf. Ond thâl meddwl felly ddim! – neu fe f'yswn yn colli cynhadledd Cymdeithas Ted Breeze Jones ym Mhlas Tan y Bwlch, a chynhadledd *Llafar Gwlad* ddechrau Rhagfyr . . . a'r Dolig! Felly pennau i fyny bawb! Daw eto'n haul ar fryn, gyda hyn!

NOSON TÂN GWYLLT

Roedd noson Guto Ffowc neu Noson Tân Gwyllt ar 5ed

Tachwedd yn un o uchafbwyntiau'r flwyddyn hyd at yn ddiweddar iawn. Er hynny, rhaid imi gyfaddef, roedd fy nghalon i'n gwaedu dros yr hen Gut druan bach. Wel, y cwbwl wnaeth o oedd ceisio rhoi bom dan dinau ryw haid o grach yn Senedd Lloegr ynde?

Rywsut dydi 5ed Tachwedd ddim hanner mor gyffrous ag yr oedd o erstalwm.

Ydach chi'n cofio'r hwyl o fynd o gwmpas tai'r pentref i gasglu coed a phapur a gorfod amddiffyn y goelcerth rhag i hogia'r pentref nesaf ddŵad i'w thanio rhyw noson neu ddwy ynghynt? A phowlio'r hen Guto o ddrws i ddrws mewn coets i gardota: 'peni ffor ddy Gyi?' am arian i brynu tân gwyllt. Pan ddeuai'r noson – y cyffro wrth danio, a'r gwres aruthrol ar y wyneb wrth i'r fflamau godi i'r entrychion. Rhai o'r hogia yn ceisio neidio dros ymyl y goelcerth er gwaetha cael eu tafodi yn o arw gan yr oedolion. Hwyl efo'r tân gwyllt a bore trannoeth rhoi tatws mawrion yn y lludw poeth. Fe fyddai'r rheiny wedi rhostio'n braf erbyn inni ddod o'r ysgol ac er eu bod yn dri chwarter carbon erbyn hynny fe fyddai'r cnewyllyn yn eithriadol o flasus.

Mae Tân Gwyllt mor gythreulig o ddrud y dyddiau yma … rhy ddrud i wneud llawar o sbloit gartef yn sicr … a, … wel, … 'dach chi ddim yn medru prynu bangars chwaith erbyn hyn. 'Dach chi'n cofio'r CANON! Dyna i chi glec! Dydi'r petha modern 'ma yn dda i ddim – maen nhw'n diffodd beth bynnag os ydach chi'n eu taflu nhw ar ôl rhywun! A Duw a'n helpo – maen nhw'n brygowtha ar y teledu erbyn hyn bod hyd yn oed 'sparclars' yn berig!

Ond dyna fo, mae'r oes wedi newid, ac o gofio imi gael fy nharo yn fy nhalcan gan rocet pan o'n i tua 12 oed a brifo mysedd efo bangars fwy nag unwaith, ella ei fod o er gwell hefyd. Felly i G'narfon y byddwn ni'n mynd yn flynyddol erbyn hyn i weld yr Arddangosfa Dân Gwyllt fawr a drefnir gan y Llewod, a'i mwynhau hefyd. Ydi, mae'n braf gwybod fod y cwbwl yn eithaf diogel a bod y pres yn mynd at achosion da.

Ysgwn i faint parith miri 5ed Tachwedd i'r dyfodol? Mae dathlu'r dyddiad hwn – neu glodfori rhagfarnau crefyddol gwaedlyd y 17eg ganrif – yn sicr ar i lawr tra bo'r 'Halowîn' – sy'n adlais o ddefodau gwaedlyd yr hen Geltiaid ar i fyny. Tybed, unwaith y trosglwyddir tân gwyllt i G'langaeaf na fydd Guto Ffowc yn graddol lithro i angof, fel y gwnaeth dathlu'r Sulgwyn a'r Gyhydnos?

Gyda llaw, dyddiad darganfod y cynllwyn i chwythu'r Senedd i'r entrychion, ac arestio Guto oedd 5ed Tachwedd, 1605. Ni chafodd ei ddienyddio gan 31ain Ionawr, 1606, wedi dioddef poenydio enbyd am wythnosau.

Pasiwyd deddf seneddol yn fuan wedyn yn penodi mai ar 5ed Tachwedd y dylsid tanio coelcerthi G'langaeaf o hynny allan i ddathlu achubiaeth y deyrnas rhag y 'cynllwyn Pabyddol' honedig yr oedd Guto yn rhan ohono – a fiw i neb wrthod rhag iddynt hwythau gael eu hamau!

DAROGAN Y TYWYDD

Am fod y dathliadau G'langaeaf yn gychwyn yr hen flwyddyn Geltaidd a hefyd yn un o'r tair Ysbrydnos roedd yn bosib gweld a dylanwadu ar y dyfodol. Dyma pam, mae'n debyg, fod yr hanner cyntaf o Dachwedd yn dda i ddarogan y tywydd ar gyfer gweddill y gaeaf. Dyma rai enghreifftiau:

> 'Eira cyn G'langaeaf yn erthylu'r gaeaf' – h.y. eira cynnar ar y mynyddoedd yn golygu na chawn aeaf oer, ond mwd a glaw!
>
> 'Os taranith rhwng y 1af a 15fed Tachwedd, bydd yn erthylu'r gaeaf' – yn arwydd tebyg.
>
> 'Cyfeiriad y gwynt ar Nos G'langaeaf – yno y bydd o am y rhan fwya o'r gaeaf' (o Aberystwyth y daw hwn).
>
> 'Lle chwyth y gwynt ar Noswyl y Meirw [noson 1af Tachwedd] – yno bydd o am chwarter y gaeaf.'

'Niwl Gŵyl Fartin [11eg Tachwedd] – tywydd tyner i ganlyn.'

Mae yna adlais yn yr arwydd olaf 'na o'r hen chwedl am Martin o Tours (a ddaeth yn sant wedyn) roddodd hanner ei glogyn i rhyw dlotyn. O ganlyniad gallwn ddisgwyl rhyw 2-3 diwrnod tynerach nag arfer yn dilyn hyn – am fod Duw, fel cydnabyddiaeth o dro da 'rhen Fartin, wedi gwneud yn siŵr fod y dyddiau canlynol yn braf – er mwyn rhoi digon o gyfle i Martin brynu clogyn arall!

TREIGL Y TYMOR

Mae arwyddion y gaeaf ymhob man yn Nhachwedd: yr adar bach wedi bod yn heidio ar y cnau yn y gerddi ers sbelan; y coed bron iawn wedi colli'u dail ac mae hi'n anodd iawn troi'r cathod 'cw o'r tŷ gyda'r nos – mae nhw hyd yn oed yn chwyrnu arna'i pan dwi'n trio'u hel nhw am y drws! Bydd heidiau mawr o chwiaid ar afon Glaslyn ym Mhorthmadog ac elyrch ar y morfa rhwng Llanfrothen a Phren-teg. Mae criw go lew o elyrch cyffredin yno, ond fy ffefrynnau i ydi elyrch y gogledd – y rhai hefo pigau melyn a du, sydd wedi cyrraedd yn ddiweddar yr holl ffordd o Wlad yr Iâ. Mi fyddan nhw hefo ni dros y gaea – tan ddiwedd Mawrth, pan fydd yr hen ysfa nythu yn mynd yn drech na nhw – a rhyw dyndra i droi eto am y Twndra yn eu meddiannu nhw.

Chydig iawn o ddail sy'n dal ar y coed bellach, ond pan mae dipyn o haul yn torri drwy'r cymylau mae'r lliwiau browngoch a melyngoch ar y gweunydd a llethrau'r mynyddoedd yn fendigedig.

Mae'n doreithiog iawn o ran ffrwythau ac aeron hefyd. Ar flwyddyn dda bydd aeron ar y celyn erbyn hyn, a chriafol y moch yn rhoi hugan goch dros y drain gwynion. Bydd y coed aeron 'ma i'w gweld yn amlwg o bell, ond yn llai o sioe, a'r coch yn dylu braidd, pan ewch yn agosach atyn nhw. Wel, mae hynny yn gwneud synnwyr am mai denu llygad 'deryn o bell ydi pwrpas y lliw llachar ac mae'r coch yn sefyll allan yn llawer gwell yn erbyn cefndir gwyrdd neu felyn-frown nag ydi o yn erbyn glas neu lwydwyn llachar yr awyr pan fyddwch oddi tani. Maen nhw'n debyg i'r merchaid 'ma sy'n rhoi gormod o golur – yn llawer mwy deniadol o ddecllath o bellter nag ydyn nhw lathen i ffwrdd – bryd hynny 'dach chi'n sylweddoli mai colur ydi'r cwbwl!

FFEIRIAU G'LANGAEAF

Ar un adeg, fe fyddai'r cyfnod o'r 11eg i 13eg Tachwedd yn bwysig iawn, iawn yn y calendr amaethyddol oherwydd, mewn rhai ardaloedd, fe gynhelid Ffeiriau Cyflogi – neu Ffeiriau G'langaeaf fel y'u gelwid. Hwn oedd yr hen G'langaeaf wrth gwrs, nid y miri gwrachod hwnnw ar Nos G'langaeaf.

Roedd yr hen ffeiriau yn bwysig eithriadol erstalwm ac fe ellir olrhain hynt y flwyddyn amaethyddol yn hawdd iawn drwy eu dilyn nhw. Yn yr ardaloedd mynyddig fe fyddai tymor cyflogaeth y gweision a'r morynion ar y ffermydd yn hanner blwyddyn – sef o ffeiriau G'lanmai (11eg-13eg Mai) hyd ffeiriau G'langaeaf (11eg-13eg Tachwedd), tra byddai'r tymor yn flwyddyn o hyd mewn llefydd eraill – o G'lanmai i G'lanmai, neu o G'langaeaf i G'langaeaf (fel yn sir Gaerfyrddin). Roedd 'na lawer o amrywiaeth o ardal i ardal a hynny yn adlewyrchu'r gwahaniaeth rhwng gwaith yr haf a gwaith y gaeaf – gwaith hefo'r cnydau a'r cynaeafau yn bennaf dros yr haf a phorthi'r anifeiliaid, teilo ac aredig dros y gaeaf.

Porthi'r anifeiliaid fyddai gwaith pwysicaf y gaeaf ac mewn llawer iawn o ardaloedd noson Ffair G'langaeaf fyddai 'noson clymu', neu noson rwymo'r gwartheg yn y beudy. Yno y byddent wedyn yn cael eu porthi dros y gaeaf tan y cawsant eu gollwng eto G'lanmai. Mae'n f'atgoffa o ryw hen ffermwr yn gofyn i gymydog: 'Wyt ti wedi rhwymo?' a'r ateb: 'Na, dwi'n regiwlar fel cloc ysti!'

Mewn rhai llefydd roedd 'na ffair arbennig rhyw 10-12 diwrnod cyn y Ffair Gyflogi, e.e. Ffair Bach Pwllheli ar 1af Tachwedd. Yn honno fe fyddai Ffermwyr Llŷn yn gwerthu buwch neu ddwy er mwyn cael digon o arian mewn llaw i dalu cyflogau'r gweision a'r morynion, a hefyd i gael digon i dalu dyledion eraill. Ddwy waith y flwyddyn y byddai ffermwyr yn arfer talu dyledion – sef yn ffeiriau G'lanmai a G'langaeaf. Fe fyddai'r gofaint yno, yn rhyw westy arbennig, ella rhwng 2 a 3 y pnawn i dderbyn eu pres am yr hanner blwyddyn aeth heibio ac fe fyddai'r amaethwyr yn galw heibio gwahanol siopau i setlo yn ogystal. Yn ffair G'lanmai fe fyddai'r dyrnwr hefyd yn disgwyl ei dâl am waith y gaeaf. Oedd, roedd hi'n bwysig gorffen y tymor hefo'r llechan yn lân.

I'r gweision a'r morynion fe fyddai'r ffair yn andros o hwyl! Ar ôl byw ar y fferm dan amodau go gaeth ac oriau hirion fe fyddai cael rhyddid, a phres yn 'u dwylo yn nefoedd!! Os oedden nhw'n gall fe fyddent yn prynu'r pethau hollol hanfodol ac angenrheidiol, fel sgidiau newydd neu drowsus melfared, yn gyntaf ac, os bosib, yn cadw rhyw dipyn o gelc. Ond fe fyddai bownd o fod rywfaint yn sbâr yn bres gwario i gael dipyn o hwyl ynde!

PERYGLON Y FFEIRIAU

Fe fyddai hen feddwi a chwffio ymysg y rhai gwylltaf a llai parchus yn eu mysg nhw. A fyddai rhai o'r genod ddim mor bell a hynny ar ei hôl hi chwaith! Mi gefais afael ar ryw hen bamffledyn crefyddol gyhoeddwyd yn Oes Fictoria yn taranu yn erbyn y drygioni a'r anfoesoldeb fyddai'n gysylltiedig â'r hen ffeiriau ofnadwy 'ma. Dyma ddyfyniad ichi o draethawd, rhif 33, gyhoeddwyd gan Gymdeithas y Traethodau Crefyddol, yn Oes Fictoria, dan yr enw 'Ffeiriau Cymru':

> 'Un o arferion atgasaf y ffair ... ydyw llusgo merched ieuanc i dafarndai. Ac nid rhyw lawer o waith llusgo, ysywaith, sydd ar aml un. Nis gallwn ddyfalu teimlad merch ieuanc bur, brydweddol, yn eistedd yn nghanol llysnafedd, dwndwr, a therfysg haid o feddwon yn y dafarn, yn gwrando ar eu bytheiriau a'u rhegfeydd, ac yn edrych ar lawer ffrwgwd flin ac ymladdfa waedlyd.
>
> Rhaid dyweyd mai rhagolygon tywyll sydd i'r ferch fedr eistedd i fwynhau y fath gwmniaeth. Mae 'noson y ffair'

wedi profi yn noson ddu, dywell, a dinistriol i liaws o ferched ieuanc ... (a) syrthiodd i'r fagl yn nhrobwll ei themtasiynau. Os oes eisiau profion, ymweler â llys yr ynadon, neu darllener yr hanes yn y newyddiadur. Yno gorfodir hwy dan gwmwl o gywilydd a gwarth i gyfeirio at noson y ffair fel noson eu cwymp.'

GWYLIAU MARTIN, CLEMENT A CHATHERINE

21ain Tachwedd, ydi Hen Ŵyl Fartin ac, yn ôl y sôn, beth bynnag fydd y tywydd ar y diwrnod hwn – felly y bydd hi am weddill y gaeaf.

Gan ein bod ni'n sôn am ddyddiau seintiau, 23ain Tachwedd ydi dydd Sant Clement. Hwnnw oedd nawddsant crefftwyr gwledig fel y gofaint, seiri coed, y barcwyr (fyddai'n gwneud lledr, wrth gwrs) a'r pannwr (fyddai'n gwneud hetiau ffelt erstalwm). Roedd 'na arferiad digon od yn rhai rhannau o Sir Benfro yn y 18fed ganrif o gario delw go flêr o'r hen Glement o gwmpas ar y dyddiad hwn – ac wedyn ei chicio hi'n ddarnau! Does gen i ddim 'clem' pam dryllio delwau fel hyn chwaith!

Ond fe gawsai Sant Clement dipyn mwy o barch gan bysgotwyr Dinbych-y-pysgod am y gallasai reoli'r gwyntoedd ar y môr. Byddai perchnogion y cychod yn rhoi gwledd o ŵydd wedi'i rhostio i'r criw, a 'phwdin reis Clement' fel y'i gelwid. Roedd y cyfnod yma yn nodi diwedd y tymor pysgota môr pan fyddai llawer o aelodau'r criwiau pysgota yn gorffen eu gwaith. Roedd o'n gyfle i ddiolch i'r criw ac i ddathlu os cafwyd tymor da, ond os byddai'n dymor gwael byddai'n rhaid i'r criw dalu am yr ŵydd!

25ain Tachwedd ydi Gŵyl Santes Catherine – nawddsantes nyddwyr, rhaffwyr, gwneuthurwyr les, a hen ferched (h.y. hen ferched dibriod) am fod cymaint o'r rheiny yn nyddu ar un adeg – o fan'no daeth yr enw '*spinster*' am hen ferch yn Saesneg ynde? Mae hi'n nawddsantes seiri olwynion hefyd – sydd yn eironig braidd o ystyried mai cael ei darnio ar yr 'olwyn' fu ei thynged! A hynny am iddi wrthod priodi.

Tywysoges yn Alexandria oedd Catherine ac wedi cysegru ei hun i Dduw ac yn gwrthod priodi unrhyw ddyn. Am iddi gyffesu ei ffydd Gristnogol fe'i cymerwyd gan y Rhufeiniaid – rargian roedd rheiny yn bethau creulon! – a'i darnio ar yr olwyn, rhywbeth yn debyg i dorrwr chaff oedd honno gyda llaw. Mae 'na dân gwyllt – y *Catherine Wheel* wedi ei henwi ar ei hôl hi yndoes?

PLANT MEWN ANGEN

Wyddoch chi be? Ac mae'n ddrwg gen i am dynnu'ch sylw chi at hyn – ond mae'r Dolig ar ei ffordd. Fe fu ar y gorwel ers misoedd a dweud y gwir – trimings wedi bod ar werth yn y siopau ers mis Awst, ac mae pob swyddfa wedi hen drefnu ei pharti Dolig staff. Ond fe'm trawyd i, wrth i'r plant baratoi llond bocsys sgidiau o anrhegion fel rhan o ymgyrch *Operation Christmas Child* ganol Tachwedd i'w gyrru i blant bach llai ffodus, pa mor faterol ydi'n Dolig modern ni – yn ddim byd ond 'Gŵyl y Gwario' go iawn. Mae'n siŵr gen i mai rhoi'r bocsys bach yma, a chyfrannu i ymgyrch Plant Mewn Angen – a'u sbloet fawr i godi arian ar y teledu – ydi un o'r chydig bethau ddaw â ni yn agos at wir ystyr y Dolig erbyn hyn.

GŴYL SANT FINSENT

Ar 26ain Tachwedd fe fydd hi'n Ŵyl Sant Finsent ac, yn ôl yr hen goel mae hwn yn gyfnod pan fydd y tywydd yn newid, un ffordd neu'r llall, ac yn aros felly am rai wythnosau. Ond dydi'r ystadegau tywydd dros y ganrif a hanner ddiwethaf ddim yn cadarnhau hyn. Does dim llawer o goel i'r dywediad felly – sy'n golygu nad ydwi'n *convinced* bod rhen Vince yn iawn.

SIOE AEAF LLANELWEDD A FFEIRIAU'R DOLIG

Ar y Llun olaf yn Nhachwedd fe gynhelir y Sioe Aeaf yn Llanelwedd, a bydd ffermwyr a phobl y bwydydd yn heidio yno am y jamborî fawr flynyddol honno. Rhywbeth lled ddiweddar ydi hon – dim ond yn 1990 y cychwynnodd hi ond mae wedi hen ennill ei phlwyf erbyn hyn ac yn denu pobl o bell ac agos.

Un rheswm am lwyddiant y Sioe Aeaf dwi'n meddwl ydi ei bod yn ffitio mor daclus i hen batrwm traddodiadol y tymor amaethyddol. Onid dyma gychwyn, yn ôl yr hen galendr amaethyddol, ar gyfnod yr hen Ffeiriau Gaeaf hen ffasiwn, oedd yn gyffredin iawn ym mhob ardal tan yr Ail Ryfel Byd? Fe'u gelwid yn Ffeiriau Dolig hefyd, a hyd yn oed Ffair Felys mewn ambell le. Dim ond ichi edrych yn hen Almanac Caergybi – oedd yn rhestru'r ffeiriau erstalwm – ac fe welwch chi nhw yn rhesi mewn llawer iawn o'n pentrefi gwledig ni, o ddiwedd Tachwedd bron hyd at y Dolig ei hun.

Roedd hwn yn gyfnod prysur i werthu anifeiliaid i'r cigyddion at y Dolig ac yn arbennig i werthu menyn cartref – byddai hwnnw wedi'i halltu i'w gadw dros y gaeaf ac yn cael ei roi mewn potiau o wahanol feintiau yn aml iawn. Dyna pam mai'r enw cyffredin arno oedd 'menyn pot'. Yna, yn nes at y Dolig, byddai'r miri o werthu da pluog – yn ieir, ceiliogod, gwyddau a thyrcwns, wrth gwrs.

Yn y pen yma o'r byd fe fyddai Ffair Aeaf y Ffôr ar y dydd Iau cyn y Gwener cyntaf yn Rhagfyr. Fe fyddai Ffair Pwllheli y dydd Mercher canlynol, ond y bwysicaf o bell ffordd fyddai Ffair Caernarfon, ar y Gwener a'r Sadwrn cyntaf yn Rhagfyr, lle roedd 'na hen werthu menyn am y byddai'r holl chwarelwyr o dyddynnod Rhosgadfan a'r cyffiniau (ardal Kate Roberts ynde?) yn dŵad lawr i'r dre i chwilio am fenyn pot, ac yn awchu amdano!

Y LLEIDR MENYN

Glywais i stori dda am fenyn pot un tro gan gyfaill o ardal Llanelltyd, ger Dolgellau. Yn y 1930au y digwyddodd hyn dwi'n meddwl. Roedd gan un o'r ffermydd yn yr ardal lond tŷ o hogia – mwy mewn gwirionedd nad oedd gwaith ar eu cyfer. Dyma un ohonynt yn mynd hefo criw o ffrindiau o Ddolgellau i lawr i gymoedd de Cymru a chael gwaith am sbelan yn un o'r pyllau glo. Roedd o'n aros mewn tŷ lojin ac un o'r pethau roedd o'n ei golli oedd menyn cartra'r fferm yn Llanelltyd – y menyn pot. Dyma fynd â pheth i lawr hefo fo i'w roi ar ei fechdan i fynd i'w waith. Ond wyddoch chi be? Roedd 'na rywun yn helpu ei hun i'r menyn heb ofyn, ac er ceisio'i guddio fe fyddai ôl crafiad blaen cyllell ynddo yn rhy aml o lawer.

Roedd o gartref un tro – ac yn cwyno am y lladron menyn yn ofnadwy. Wel dyma rywun yn cael syniad – os menyn pot, wel pot amdani! Felly, dyma fynd i siop T.H. Roberts yn Nolgellau a phrynu pot newydd sbon danlli – un nad oedd wedi cael ei ddefnyddio i'w bwrpas erioed – ia, pot dan gwely ynde? A wyddoch chi be? Pan roddwyd y menyn yn hwnnw a mynd â fo i lawr i'r de – mi gafodd o lonydd! Sy'n dweud llawer, feddyliwn i, am seicoleg sut mae bwyd yn cael ei gyflwyno?

Nodiadau ar gyfer mis Tachwedd

Rhagfyr

CALENDR ADFENT A SUL Y DYFODIAD

Ydach chi wedi prynu Calendr Adfent i'r plant gael agor ffenest bach arno fo bob bora, sy'n ffordd dda i gyfri'r dyddiau o hyn tan y Dolig? Rhyw arferiad ddaeth drosodd o'r Almaen ganol yr 20fed ganrif ydi'r Calendr Adfent ac mae llawer ohonyn nhw hefo siocled bach yn cuddio y tu ôl i bob ffenest. Eironig braidd ynde? – oherwydd cyfnod o ymprydio cyn y Dolig oedd yr Adfent yn wreiddiol! Roedd yn dechrau ar Sul y Dyfodiad neu Sul cynta'r Adfent, sef y pedwerydd Sul cyn y Dolig.

Ia, y Dolig! – does dim modd osgoi hwnnw bellach yn nagoes? Mae'r trimings yn mynd i fyny uwchben y strydoedd mewn llawer tre erbyn hyn a'r Sionis Cyrn plastig, a'r ceirw a'r goleuadau fflachio i'w gweld fwyfwy bob blwyddyn yng ngerddi ac ar dai pobl – yn barod at Ŵyl y Gwario fydd yn para drwy Ragfyr ar ei hyd. Arferiad Americanaidd ddaeth drosodd yn y 1990au ydi rhoi'r holl oleuadau allanol hyn ar dai. Ys gwn i faint o drydan mae'n ei wastraffu drwy'r wlad?

SANT NICLAS

6ed Rhagfyr ydi Gŵyl Sant Niclas. A stori hwn, wrth gwrs, sydd y tu ôl i'r Santa Clôs gwreiddiol.

Wel, pwy oedd Sant Niclas, neu '*Sinter Klaus*' fel y'i gelwir yn yr Iseldiroedd? O fan'no y cawsom ni'r enw Santa Clôs gyda llaw. Fe'i ganwyd o yn Lycia yn Asia Leiaf (Twrci erbyn heddiw) tua 270OC ac fe ddaeth yn offeiriad Cristnogol yn ifanc iawn – yn 17 oed. Roedd yn hanu o deulu cyfoethog iawn, ond yn byw yn dlawd ac yn hoffi rhoi ei ffortiwn ar ffurf anrhegion i wahanol bobl – ond yn y dirgel, heb i neb wybod mai fo oedd yn eu rhoi. Bu farw ar 6ed Rhagfyr, 340OC a chafodd ei ddyrchafu'n Sant. Fo ydi Nawddsant Groeg, Rwsia, plant, puteiniaid, morwyr a masnachwyr.

Un enghraifft o'i haelioni oedd ei roddion i achub tair merch ifanc rhyw deulu tlawd oedd yn cael eu gorfodi i werthu'r merched fesul un i gaethwasiaeth a phuteindra. Fe achubodd y gyntaf, yn slei bach, drwy daflu bagiad o aur drwy'r ffenest un noson ac ymhen amser gwneud yr un peth â'r ail. Ond roedd y drydedd am gael ei gwerthu ganol gaeaf, pan oedd ffenestri pawb wedi'u cau am ei bod hi'n oer. Felly, be wnaeth Niclas ond dringo i ben y to a gollwng yr aur i lawr y simdda! Yn ôl y stori fe laniodd y bag o aur mewn hosan oedd yn hongian i sychu wrth y tân – neu mewn esgid yn ôl fersiwn arall o'r stori. Oddi yno y tarddodd ein traddodiad ni am yr hosan Dolig.

Mae'n ddifyr bod rhai ardaloedd a gwledydd yn Ewrop – de'r Almaen, Gwlad Belg a'r Iseldiroedd – yn dal i'w gofio fo ar noswyl Sant Niclas, 5ed Rhagfyr. Yn yr Iseldiroedd maen nhw'n rhoi esgid – neu glocsen fawr bren – ger y lle tân, a'i llond hi o foron i geffyl Sant Niclas a gwydraid o 'jin' i Niclas ei hun! Erbyn y bora, sef dydd Sant Niclas, bydd y moron a'r jin – yn wyrthiol – wedi cael eu ffeirio yn y nos am dda-da ac anrhegion i'r plant, ond dim ond i'r plant da wrth gwrs! Dydi'r hen Nic ddim cweit mor garedig wrth blant drwg ag ydi'r Siôn Corn modern ac mae ganddo gynorthwywr – y gwas tywyll – hefo gwialen fedw i fygwth curo'r plant drwg!

Y PWDIN DOLIG

Fyddwch chi'n gwneud eich pwdin Dolig eich hun? Yntau prynu un o'r siop fyddwch chi – fel ninnau! Yn ôl un arolwg diweddar mae llai na 20% o deuluoedd yn gwneud eu pwdinau Dolig eu hunain erbyn hyn ac mae un ffatri yng ngogledd Lloegr yn gwneud 20 miliwn ohonynt i'w gwerthu bob blwyddyn!

Y cyfnod traddodiadol i wneud pwdin Dolig oedd diwedd Tachwedd, cyn dechrau ar ympryd yr Adfent. Byddai'r pwdin yn rhywbeth i edrych ymlaen ato ar gyfer y Dolig a byddai ei flas wedi aeddfedu'n hyfryd erbyn y dydd ei hun.

Mae hanes y pwdin Dolig yn mynd yn ôl i'r Oesoedd Canol, pan oedd yn arferiad gwneud rhywbeth tebyg i haggis hefo grawn ŷd, ŵy a sbeisys a'r cyfan wedi eu berwi mewn stumog neu groen anifail. Newidiwyd y croen am damaid o wlanen yn Oes y Tuduriaid a'r pryd hwnnw hefyd y daeth syltanas a resins yn boblogaidd ynddo fo.

Gwnaed ymdrech gan y Piwritaniaid yng nghyfnod Cromwell – sef yn Oes y Gwynebau Hirion – i wahardd y pwdin Dolig am ei fod yn arfer anfoesol: *'a lewd custom unfit for God-fearing people'* meddan nhw! Ond goroesi wnaeth y pwdin, ac erbyn Oes Fictoria roedd o ar ei orau – yn dywyll a chyfoethog, hefo brandi ynddo fo a mwy wedyn o frandi yn y saws gwyn neu fenyn melys gogoneddus a dywalltid drosto fo. Ac wrth gwrs, sprigyn o gelyn coch yn goron ar ei ben o.

Pwdin cyfoethog ddywedais i? Wel, y peth pwysicaf am y pwdin Dolig oedd rhoi darn arian – tair ceiniog wen – yn y gymysgedd, ac fe fyddai pwy bynnag ganfyddai hwnnw (ond heb ei lyncu!!) yn cael lwc dda ac yn cael gwneud dymuniad. Mewn gwirionedd, mae hwnnw'n arfer eithriadol o hen – yn deillio o'r hen wledd baganaidd Rufeinig y *Saturnalia* ddiwedd Rhagfyr, pan ddewiswyd rhywun fyddai'n arweinydd yr hwyl a'r miri. Byddai rhywbeth wedi ei guddio yn y bwyd a phwy bynnag fyddai'n ei ganfod fyddai'r *'Lord of Misrule'*, neu 'arglwydd anrhefn' y wledd.

PLYGAIN

Mae hi'n dymor plygeiniau – neu, ym Maldwyn: 'y Blygien' – pan fydd partïon o gantorion yn ymgynnull i ganu'r hen garolau Cymraeg traddodiadol. Maldwyn, wrth gwrs, ydi cadarnle'r traddodiad rhyfeddol yma fydd yn cychwyn ar yr ail Sul yn Rhagfyr, a hynny yng Nghapel y Trallwng. Bydd y partïon plygain yn mynd ar gylchdeithiau o gwmpas eglwysi a chapeli mewn gwahanol ardaloedd tan yr ail Sul yn Ionawr pan orffennir gyda'r Blygain Fawr ym Mallwyd. Mae hwn yn hen, hen arfer sydd, nid yn unig wedi dal ei dir, ond wedi cynyddu yn ei boblogrwydd ers rai blynyddoedd bellach a hyd yn oed yn ymledu, neu gael ei adfer, mewn ardaloedd eraill.

Mae'r gwasanaeth plygain ei hun yn mynd yn ôl i'r Oesoedd Canol Catholig, pan ddethlid yr enedigaeth drwy wasanaeth carolau plygeiniol – a'r gair 'plygain' yn tarddu o'r Lladin *puli cantus* sy'n golygu 'caniad y ceiliog'.

Fe ddatblygodd y blygain Gymreig yn fuan wedi i William Morgan gyfieithu'r Beibl i'r Gymraeg yn 1588 ac i'r Beibl hwnnw – Beibl William Morgan – gael ei dderbyn yng ngwasanaethau'r eglwysi yng Nghymru. Cyn hynny, fel y gwyddom, roedd Llywodraeth Lloegr a'i Deddf Uno wedi gwahardd y Gymraeg o bob maes swyddogol. Ta waeth, fe berswadiwyd Elisabeth I i wneud eithriad yn achos yr eglwys ar y sail nad oedd y werin yn deall y gwasanaethau Saesneg – ac felly ddim yn gallu derbyn Gair yr Arglwydd!

Pan laciwyd rhywfaint ar y gorthrwm a chaniatáu i'r Gymraeg gael ei defnyddio yn yr eglwysi, fe fanteisiodd y Cymry o ddifri ar y cyfle a blodeuodd traddodiad y carolau plygeiniol Cymraeg. Roedd o, ar un wedd, yn fynegiant o hunaniaeth y Cymry yng ngwyneb y gorthrwm ar eu hiaith a'u diwylliant. Fe ddigwyddodd rhywbeth tebyg yn Ynys Manaw hefyd, pan flodeuodd gwasanaeth carolau hwyrol yr *Oie'l Verrey* ar Noswyl y Dolig, a hynny'n fuan ar ôl cyfieithu'r Beibl i'r Fanaweg.

Llwyddodd y plygeiniau hefyd i oroesi Diwygiad Methodistaidd y 18fed ganrif a hynny oherwydd gwerthfawrogiad cryf arloeswyr y cyfnod hwnnw – William Williams, Pantycelyn ac Ann Griffiths ayyb – o ganu crefyddol (ar ffurf emynau wrth gwrs). Roedd y carolau plygain, fel yr emynau, yn fynegiant mor gryf o orfoledd crefyddol y bobl nes y'u cedwid gan yr Anghydffurfwyr a'u datblygu i fri newydd, mwy nag erioed o'r blaen. Mae'n ddifyr bod y gwasanaethau hyn wedi aros, hyd heddiw, yn anenwadol – mae'r cylchdeithiau yn cynnwys eglwysi a chapeli'r gwahanol enwadau. Hir y parhâ oherwydd mae'n dda cael *rwbath* crefyddol ymysg holl firi seciwlar y Dolig yn dydi!?

ADDURNIADAU A CHOED DOLIG

Mae'n siŵr y bydd y rhan fwyaf ohonoch wedi trimio erbyn canol Rhagfyr, rhoi coeden Dolig i fyny ac arddangos cardiau Dolig lond y lle? Pethau lled ddiweddar ydi'r rhain, o Oes Fictoria yn bennaf – y goeden Dolig wedi dŵad o'r Almaen hefo Albert, gŵr Fictoria, am mai Almaenwr oedd hwnnw ac isio rwbath i'w atgoffa o'i fagwraeth, mae'n siŵr.

Doedd y dosbarth canol trefol Cymreig ddim yn hir iawn cyn dilyn y ffasiwn gan fabwysiadu'r goeden Dolig yn ei holl ogoniant fel rhan o'u dathliadau teuluol. Yn raddol fe ledodd i'r pentrefi hefyd, yn enwedig erbyn canol yr 20fed ganrif wrth i goed Dolig rhad ddŵad ar y farchnad o blanhigfeydd y Comisiwn Coedwigaeth. Ond ar amryw o ffermydd cefn gwlad, fe barhaodd y goeden yn estrones tan o leiaf y 1960au.

Yn draddodiadol ni ddylid dŵad â'r celyn na'r goeden i'r tŷ nag addurno tan noswyl y Dolig, ond erbyn hyn maent yn cael eu rhoi gynhared â dechrau Rhagfyr!

A byddwch yn ofalus wrth roi'r angel bach ar frigyn uchaf y goeden – mae'r nodwyddau pigog 'na yn medru bod yn eitha anghyfforddus mewn lle tendar!

Erbyn heddiw mae rhyw 6-7 miliwn o goed Dolig *naturiol* yn cael eu gwerthu bob blwyddyn – a Duw a ŵyr faint o rai plastig. Yn America yn ddiweddar, fe ddaeth coed wedi'u haddasu yn enynnol yn boblogaidd – rhai nad ydynt yn colli eu dail – sydd yn arbed gwaith hwfro ichi ym mis Ionawr!!

CARDIAU DOLIG

Dechreuodd yr arfer o yrru cardiau Dolig yn y 1840au, yn sgîl dyfeisio stampiau ar lythyrau – stamp y *Penny Black* oedd y cyntaf. Rhai wedi'u gwneud â llaw oedd y cardiau cyntaf, ond fe welodd rhywun gyfle ac roedd cardiau Dolig wedi eu printio'n fasnachol ar gael gynhared â 1843 – dim ond tair blynedd ar ôl dyfeisio stamp y *Penny Black*. Ond ddaeth yr arfer o yrru cardiau ddim yn gyffredin tan y 1870au pan gafwyd cardiau oedd yn ddigon rhad i bawb allu eu fforddio a stamp ½d i'w postio nhw. Roedd tua miliwn o gardiau yn cael eu gyrru ym Mhrydain yn y 1880au – ac mae hynny i'w gymharu â thua biliwn a hanner bob blwyddyn erbyn hyn.

Ydych chi wedi sylwi ar yr amrywiaeth sydd 'na yn y cardiau Dolig? Mae rhai ar themâu crefyddol (Mair, Doethion, seren); paganaidd (celyn, Siôn Corn, coeden

Dolig); seciwlar (golygfeydd, robin goch, cartŵns Disney); corfforaethol (Cwmnïau, BBC, S4C, Parciau Cenedlaethol) a rhai personol wedi'u gwneud â llaw neu ar y cyfrifiadur. Yn ddiweddar fe ddaeth yn ffasiwn i yrru cyfarchion addurniedig ar e-bost. Ond cofiwch, be' bynnag ydi'r llun, mai'r cardiau a gyhoeddir gan elusennau/achosion da sy' agosaf at wir ystyr y Dolig – wel, yr ystyr Cristnogol, hynny yw!

Y CRACER DOLIG

Dyfeisiwyd y cracer Dolig gan Tom Smith, gwneuthurwr da-da o Lundain yn 1847. Syml iawn oedd y craceri cyntaf – da-da a phennill serchus wedi'u lapio mewn papur sidan i'w roi i'ch cariad. Roedd dau ben y papur wedi eu troelli fel a welir yn achos rhai da-da heddiw. Yn 1860 yr ychwanegwyd y glec wrth dynnu dau ben y cracer ac yn yr 20fed ganrif yr ychwanegwyd het bapur, anrheg di-ddim ac y cyfnewidiwyd y pennill serchus am jôc giami! Yn 1998 gwerthwyd 45 miliwn bocsiad o graceri ym Mhrydain.

DYGWYL DOMOS

Chydig iawn o sylw gaiff y dydd byrraf, a elwid yn Alban Arthen, Troad y Rhod a Dydd Gŵyl Tomos, ar 21ain Rhagfyr, erbyn hyn.

Ar y noson hon arferid gosod torch o gelyn neu gangen fytholwyrdd i warchod y beudy. Ceid coel hefyd y byddai'r gwartheg yn penlinio am hanner nos i gydnabod genedigaeth yr Iesu. Byddai'r tlodion yn arfer blawta, sef mynd o dŷ i dŷ i gardota am ychydig flawd at y Dolig. Dyma hefyd y diwrnod i blannu nionod – eu plannu ar y dydd byrraf er mwyn eu codi ar y dydd hwyaf.

Fel ar sawl gŵyl arall roedd yn bosib rhagweld y dyfodol ar y dydd hwn: 'O ble bynnag y chwyth y gwynt ar Ddygwyl Domos – yno y bydd o am weddill y gaeaf.' Hefyd os oedd merch ifanc eisiau gweld ei darpar ŵr mewn breuddwyd fe ddylsai fynd i gysgu efo nionyn dan ei gobennydd.

Y NADOLIG
– O'R *SATURNALIA* I ŴYL SANCTAIDD I SIÔN CORN

Bu cynnal gŵyl fawr ganol gaeaf yn rhan o fywydau pobl Ewrop a'r Dwyrain Canol ers miloedd o flynyddoedd. Ym Mesopotamia 4,000 o flynyddoedd yn ôl, byddai pobl yn tanio coelcerthi, rhoi anrhegion a mwynhau 12 diwrnod o hwyl a miri. O adroddiadau'r Groegiaid a'r Rhufeiniaid mae'n amlwg bod pobloedd drwy Ewrop yn dathlu mewn ffordd debyg, ond y fersiwn y gwyddwn fwy amdani ydi *Saturnalia* y Rhufeiniaid.

Y *SATURNALIA*

Cynhelid y *Saturnalia* o 17eg i 24ain Rhagfyr, dri diwrnod y naill ochr i'r dydd byrraf. Roedd yn dathlu bod y tywyllwch bellach ar ei eithaf a bod goleuni o hyn ymlaen am ddechrau 'ennill y dydd' fel 'tae. Roedd y dathlu Rhufeinig yn gyfuniad o ŵyl fawr duw'r cynhaeaf, Sadwrn, â gŵyl arall oedd yn ei dilyn yn syth i ddathlu genedigaeth duw'r haul, Mithras, ar y 25ain. Byddai'n cyndeidiau ni – yr hen Frythoniaid – yn dathlu genedigaeth eu duw haul nhw, Lleu, dros yr un cyfnod.

Roedd y *Saturnalia* gwreiddiol yn dipyn o barti! Ceid miri hwyliog, ymweld â ffrindiau i fynd ag anrhegion a dymuno lwc dda i'r flwyddyn newydd a rhialtwch meddwol lle byddai rheolau moesol a chymdeithasol yn cael eu hanghofio dros dro. Byddai rhyddid rhywiol yn rhemp, y meistr yn gweini ar y caethweision ac fe fyddai rhywun, plentyn neu gaethwas fel arfer, yn cael ei apwyntio yn 'arglwydd anrhefn' i arwain gemau a herio pobl i wneud pethau gwirion. Cyfle i'r isaf ddod yn uchaf a'r lleiaf ddod yn fwyaf, oedd yn unol ag athrawiaeth Sadwrn bod pawb wedi ei eni yn gyfartal.

Ond roedd yna ochr dywyll i'r *Saturnalia* hefyd oherwydd fe gawsai'r 'arglwydd anrhefn' ei aberthu ar ddiwedd yr ŵyl! Ceir stori am hynny o ganolbarth Ewrop yn y flwyddyn 303OC pan ddewiswyd y milwr Dasius yn arglwydd anrhefn. Ond am ei fod yn Gristion fe wrthododd Dasius y fraint o dreulio'i ddyddiau olaf mewn trythyllwch meddwol a rhywiol cyn cael ei aberthu i dduw paganaidd. Yn lle hynny, dewisodd gael torri ei ben i ffwrdd yn y fan a'r lle. Fel y gallwch feddwl, fe'i dyrchafwyd yn Ferthyr ac yn Sant gan yr eglwys gynnar.

CELYN AC UCHELWYDD AC ERAILL

Un o'r pethau amlycaf wnawn ni adeg y Dolig ydi addurno ein tai efo celyn a gwneud yn siŵr fod uchelwydd ymhob parti. Ond tybed faint sy'n sylweddoli cymaint yw cysylltiad y planhigion hyn, a rhai eraill, â'r *Saturnalia* a'r dathliadau canol gaeaf Celtaidd?

Celyn – byddai rhoi canghennau bytholwyrdd mewn tai ac ar feudai yn amddiffyn pobl ac anifeiliaid rhag drwg ac yn cynrychioli parhad bywyd drwy'r gaeaf. Mae rhai yn ceisio dweud fod aeron cochion y celyn yn cynrychioli aberth gwaed Crist drosom ni, ond mewn gwirionedd cael ein hatgoffa wnawn ni o dywallt gwaed y rhai a aberthwyd ar allorau'r duwiau paganaidd ar ddiwedd yr ŵyl ganol gaeaf!

Poinsetia – planhigyn coch a gwyrdd a dyfir yn arbennig ar gyfer y Dolig. O Fecsico yn wreiddiol, daeth yn boblogaidd yn y 1960au a thrwy'r byd erbyn hyn mae mwy o fynd arno na'r celyn.

Eiddew – nid yw'n cael ei briod le yn addurniadau'r tŷ efallai ond yn blanhigyn bytholwyrdd fyddai'n bwysig i'r criwiau fyddai'n mynd i waseilio o dŷ i dŷ ar ôl y Dolig e.e. partïon y Fari Lwyd a Hela'r Dryw. Cynrychiolai ffrwythlondeb ac yn y gystadleuaeth symbolaidd rhwng da a drwg, goleuni a thywyllwch, benywaidd a gwrywaidd, safai'r eiddew dros yr elfen fenywaidd feddal tra cynrychiolai'r celyn yr elfen wrywaidd a phigog.

Uchelwydd – roedd y planhigyn od hwn yn symbol grymus o wyrdroi'r drefn – oedd yn rhan mor hanfodol o'r hen ddathliadau canol gaeaf paganaidd. Yn un peth dydi o ddim yn tyfu o'r ddaear fel planhigion eraill, ond ar ganghennau coed. Mae o'n tyfu at i lawr, h.y. yn crogi, yn lle tyfu at i fyny ac mae ei aeron o yn wyn yn hytrach na choch. Fe'i cysylltid hefyd â rhyw a ffrwythlondeb. Dim rhyfedd felly ei fod yn drwydded i rywioldeb ar adeg pan oedd rheolau'n cael eu llacio ar farwolaeth yr hen flwyddyn. Mae o'n dal yn dda am gusan mewn parti hyd heddiw yn dydi?

GŴYL GRISTNOGOL

Yn nyddiau cynnar yr Eglwys Rufeinig pan aethpwyd ati i benodi dyddiadau i'r prif wyliau Cristnogol roedd cryn ddadlau ynglŷn â dyddiad geni'r Iesu – ai yn Ionawr, Mawrth, Ebrill yntau Medi oedd y pen-blwydd cywir? Erbyn y 4ed ganrif roedd y mwyafrif yn ffafrio canol gaeaf ond methwyd â chael cytundeb llwyr. Dyna pam fod gwahaniaeth hyd heddiw rhwng yr Eglwys Orllewinol sy'n dathlu'r Dolig ar 25ain Rhagfyr a'r Eglwys Uniongred ddwyreiniol sy'n ei ddathlu ar 6ed Ionawr.

Ond yn sicr, un rheswm dros ddewis 25ain Rhagfyr oedd ei fod yn cyd-ddigwydd mor gyfleus ag un o uchafbwyntiau'r hen ddathliadau paganaidd, sef ail-eni duw'r haul ar yr un dyddiad.

Rydym wedi gweld eisoes drwy'r gyfrol hon mai un o ddulliau mwyaf effeithiol yr eglwys o ddisodli'r hen wyliau paganaidd oedd sefydlu gwyliau Cristnogol yn eu lle. A dyma ddigwyddodd yma hefyd – gŵyl geni'r haul yn troi'n Ŵyl Geni Mab Duw. Neu, fel y dywedodd Awgwstin Sant yn daclus iawn adeg ei genhadaeth ymysg y Saeson ddiwedd y 4edd ganrif – dylsid rhoi'r gorau i addoli'r haul *('the sun')* a throi yn hytrach at addoli Mab Duw *('the son')* oherwydd bod addoli Creawdwr yr haul yn bwysicach nac addoli'r haul ei hun.

Y DOLIG – MOR GYMYSGLYD Â'R PWDIN!

Do, fe lwyddodd yr eglwys i herwgipio'r hen ddathliadau paganaidd a rhoi gwedd Gristnogol arnyn nhw – weithiau'n effeithiol iawn, weithiau'n arwynebol ac weithiau ddim o gwbwl. Y gwir yw iddi fod yn amhosib cael gwared â'r cyfan o'r hen arferion. Gwell, os oedden nhw'n weddol 'ddiniwed', oedd eu hanwybyddu, gan obeithio unwaith y byddai'r hen grefydd baganaidd wedi mynd na fyddai ystyr iddyn nhw beth bynnag heblaw dipyn o hwyl.

O ganlyniad fe barhaodd peth wmbrath o firi'r hen ddathliadau paganaidd (heb yr aberthu dynol, diolch i'r drefn!) hyd ein dyddiau ni. Erbyn hyn mae cyfnod y Dolig a'r flwyddyn newydd yn lobsgows llwyr o arferion hen a newydd, paganaidd, Cristnogol a seciwlar yn deillio o'r *Saturnalia* a dathliadau cyfatebol y Celtiaid, Sgandinafiaid, Almaenwyr a phobloedd eraill o bedwar ban byd erbyn ein dyddiau ni.

HELYNT Y GWYNEBAU HIRION

Drwy'r Oesoedd Canol roedd y Dolig yn gyfnod o wledda a hwyl cymdeithasol aruthrol. Ond fe newidiodd pethau'n arw pan ddaeth Protestaniaid cyfnod Cromwell i rym. Roedden nhw'n casáu'r elfennau paganaidd yn y dathlu cymaint ag yr oedden nhw'n casáu naws Gatholig yr Offeren foreol oedd â chymaint o bwyslais ar y Forwyn Fair. O ganlyniad penderfynodd y Senedd Brotestannaidd i ddileu pob dim am y Dolig a'i ystyried fel dydd gwaith arferol. Cawn syniad o agwedd yr hen wynebau hirion yng ngeiriau'r Protestant rhonc Hezekiah Woodward yn 1656 a ddisgrifiodd y Dolig fel: 'Dydd gwledda i'r pagan – i glodfori ei ddelw-Dduw Sadwrn, dydd Offeren i'r Pabydd, dydd rhefru i'r cablwr, dydd o ddelwaddoliaeth i'r ofergoelus, dydd diogi i'r boblach gyffredin, dydd gwaith i Satan a dydd ympryd i'r Gwir Gristion.'

A beth oedd ymateb y werin bobl? Doedd fawr o ddewis heblaw cydymffurfio ond, wrth gwrs, mae mwy nag un ffordd i gael Wil i'w wely, yn does? Yr hyn ddigwyddodd, yn syml iawn, oedd i'r hwyl a'r miri symud o'r ŵyl ei hun i'r 'gwyliau', sef i'r 12 diwrnod rhwng Gŵyl Steffan (26ain Rhagfyr) a'r Ystwyll (6ed Ionawr), gyda chroesawu'r flwyddyn newydd ar nos Calan yn ganolbwynt i'r cyfan. Fe gadwodd yr Alban at hynny hyd heddiw, hefo Hogmanay yn cael llawer mwy o sylw na'r Dolig.

Y DOLIG CYMREIG

Stori weddol debyg oedd yma yng Nghymru hefyd hyd at yr 20fed ganrif, pan fyddid yn edrych ymlaen fwy at 12 dydd y Gwyliau a'r Calan na'r Dolig ei hun. Naws crefyddol oedd i'r Dolig ond hefo elfen gymdeithasol gref ynddo – partïon hwyliog yn mynd o dŷ i dŷ i ganu carolau y noson cynt, gwneud cyflaith a mynd i'r gwasanaeth Plygain yn gynnar yn y bore.

Ond er y noswaith hwyr a'r Plygain boreol, fyddai dim llawer o orffwys chwaith. Roedd hela wiwerod yn ddifyrrwch mawr a byddai criwiau'n mynd cyn cinio i erlid y wiwer druan (wiwer goch fyddai hon) o goeden i goeden ar hyd a lled y plwyf nes y byddai wedi llwyr ddiffygio.

Byddai chwarae pêl-droed yn ddifyrrwch arall mewn sawl ardal a phentrefi cyfan yn cystadlu yn erbyn ei gilydd heb fawr o drefn na rheol. Gosodid y bêl hanner ffordd rhwng dau bentref a'r enillwyr fyddai'r rhai lwyddai i'w chael at borth mynwent y pentref arall.

Ond gyda thwf anghydffurfiaeth y 19eg ganrif, diflannu wnaeth miri'r hela wiwerod ac yn enwedig y bêl-droed(!) a throsglwyddwyd yr elfen gystadleuol i'r eisteddfodau a gynhelid mewn sawl festri capel gyda'r nos ar ddydd Dolig.

Ymysg dosbarth canol cyfoethog a threfol Lloegr Oes Fictoria y datblygodd prif elfennau'r Dolig yr ydym ni yn ei nabod. Roedd yn gyfuniad o hen arferion, rhai wedi eu mewnforio o Ewrop ac America a rhai eraill hollol newydd. Prif nodwedd y Dolig newydd hwn oedd y newid o fod yn gymdeithasol ei naws i ddathlu gartref ymysg y teulu breintiedig. Dyma pryd y daeth cardiau Dolig, addurniadau moethus a oedd wedi eu prynu, anrhegion gwerthfawr, y twrci a'r cracer Dolig yn boblogaidd ymysg y dosbarth canol. Doedd y pethau hyn ddim i'w rhannu â neb ond y teulu a chyfeillion, er, chwarae teg iddyn nhw, fe roddai'r cyfoethogion newydd hyn eu sbarion i'r tlodion ar Ŵyl Steffan.

Buan iawn y lledodd ffasiwn y Dolig newydd teuluol i ddosbarth canol Cymru hefyd, er bod dylanwad anghydffurf-iaeth yn dal rhai yn ôl rhag mynd dros ben llestri! Ymledodd yr arferion newydd yn gyntaf i'r trefi wedyn i'r pentrefi ac yna i gefn gwlad yn ystod yr 20fed ganrif.

Tystia'r to hŷn mai llwm iawn oedd anrhegion Siôn Corn yn hosanau'r plant ar fore Dolig, a chyn hwyred â'r 1950au ni cheid fawr mwy na oren, llyfr a da-da. Byddid yn edrych ymlaen at yr ŵydd i ginio Dolig a'r pwdin plwm i ddilyn. Ar y ffermydd fe fyddai'n ddiwrnod gwaith arferol i bob pwrpas – porthi'r anifeiliaid a godro fore a nos a mynd allan i deilo yn y p'nawn.

Ond gyda dyfodiad trydan a theledu yn y 1950au fe newidiodd pethau'n syfrdanol. Ers hynny, mae'r Dolig, heblaw am barti Dolig a drama'r geni yn yr Ysgol Sul, wedi datblygu'n gyflym iawn i fod yn ŵyl y goleuadau ac yn sicr yn ŵyl y gwario. Rhoi a derbyn anrhegion ydi prif ddiben y Dolig erbyn hyn yn enwedig i'r plant ynde? A phwy sy'n dŵad â'r anrhegion? Wel Siôn Corn siŵr iawn.

SIÔN CORN

Ydach chi wedi meddwl erioed o le daeth Siôn Corn? Wel, dyna i chi stori ddifyr . . .

Hyd at ddechrau'r ganrif ddiwethaf Santa Clôs (ffurf ar Sant Nicholas) ddeuai ag anrhegion i'r plant a byddai yn reidio ar gefn ei geffyl mewn gwisg laes oedd yn werdd, yn las neu yn goch. Dyna'r ddelwedd welwn ni ar hen gardiau post Nadoligaidd hyd at y 1930au.

Yna fe newidiodd y ddelwedd, a ganwyd y Siôn Corn modern. Dyma'r cyfnod, yn 1932, pan gychwynnodd cwmni enwog Coca-cola ymgyrch farchnata newydd i werthu eu cynnyrch yn y gaeaf (diod haf oedd o cynt). Rhan hollbwysig o'r ymgyrch honno oedd creu'r ddelwedd o'r dyn boliog, siriol yn cael ei dynnu drwy'r awyr gan geirw a llond ei law o boteli Coca-cola. Onid oedd marchnad i Goca-cola yn y partis Dolig?

Ond tybed o ble y cafodd Haddon Sundblom, arlunydd y ddelwedd newydd radlon yma o Siôn Corn, ei syniadau? Wel, gŵr o Sweden oedd Haddon a phan benderfynodd ddefnyddio lliwiau corfforaethol Coca-cola, sef coch a gwyn, cafodd ei ysbrydoli i gyfuno elfennau o Sant Nicholas â thraddodiadau eraill yr oedd yn gyfarwydd â nhw o Sgandinafia.

Fe wyddai mai ymysg helwyr ceirw gwlad y Lap a Siberia y byddai *Shaman*, neu ŵr hysbys llwyth, yn mynd i ymweld â'r teuluoedd ganol gaeaf ac yn cael ei dynnu mewn car llusg gan geirw. Byddai'n mynd i mewn i'r *'iwrt'* neu babell fawr gref y teulu drwy'r un drws, fyddai hefyd yn gweithredu fel twll mwg neu simnai.

Uchafbwynt yr ymweliad fyddai iddo fwyta darnau wedi eu sychu yn yr hydref o'r madarch hudol coch a gwyn hwnnw – agaric y gwybed, sef yr un ffwng a ddefnyddid gan wrachod G'langaeaf. Byddai'r cyffur yn y madarch yn ei yrru i berlewyg seremonïol pryd y byddai'n cysylltu ag ysbrydion byd natur ac yn creu swynion bendithiol i ddŵad a llwyddiant i bawb am y flwyddyn i ddod. Un o symtomau'r cyffur fyddai cael y teimlad o hedfan!

Ydi'r darnau jig-so yn disgyn i'w lle bellach? – y madarch *coch a gwyn, hedfan hefo ceirw*, dŵad i'r tŷ drwy *dwll y mwg*?

Yn sicr fe fu'r ymgyrch farchnata hon gan Coca-cola ymysg y mwyaf llwyddiannus welwyd erioed – edrychwch ar eu gwerthiant byd-eang nhw erbyn heddiw. Yn 1942, gyda llaw, yr ychwanegwyd y carw trwyngoch Rwdolff i'r potas. Mae'n rhyfedd meddwl yn dydi fod cymaint o elfennau o'r Siôn Corn modern yn seiliedig ar 'drip' ar y madarch hudol – i werthu Coca-cola!

GWYLIAU LLAWEN

Roedd y 12 diwrnod ar ôl Dydd Nadolig yn gyfnod y 'Gwyliau' – gyda gŵyl wahanol yn cael ei dathlu bob diwrnod. Mewn ardaloedd o Gymru, dymunir 'Gwyliau Llawen' o hyd, nid 'Nadolig Llawen' – ardaloedd megis sir Ddinbych, Dyffryn Conwy, Penllyn a Maldwyn.

Pastai Dolig – Cynrychiolai'r 12 gŵyl 12 mis y flwyddyn a ddilynai ac fe'i cyfrifid hi'n lwcus i gael eich gwahodd i dŷ i gael pastai Nadolig (yr hen 'fins-pei') a llymaid yn ystod un o'r gwyliau hynny – byddai'r lwc dda'n cael ei hymestyn i'r mis a gynrychiolid gan yr ŵyl honno. Er enghraifft, os caech groeso a phastai Nadolig ar y 'trydydd dydd o'r Gwyliau', yna byddai'r mis Mawrth dilynol yn un lwcus ichi – ac felly ymlaen.

Yn Sir Benfro, roedd 'na arferiad difyr o ddŵad â'r aradr i'r tŷ dros y Gwyliau. Fe'i cedwid yn barchus o dan fwrdd y gegin, a phan alwai cymdogion yn nhai ei gilydd – ac fe fyddai llawer o hynny – fe fyddid bob amser yn tywallt rhyw chydig bach o gwrw dros yr arad – yn deyrnged i'r offeryn oedd mor hanfodol at fywoliaeth pawb ac a roddid ar waith yn syth y byddai'r Gwyliau drosodd. Mae'n siŵr y byddai'r gegin yn drewi fel tafarn!

Hen arfer arall oedd yn gysylltiedig â'r gwyliau oedd ceisio darogan pa fath o dywydd geid am y flwyddyn i ddod. Un dull difyr iawn ym Morgannwg, ar 26ain Rhagfyr (sef dydd cyntaf 12 dydd y Gwyliau) oedd cymryd 6 nionyn, eu torri'n haneri, eu gosod yn rhes o 1 i 12 a rhoi tomen o halen ar bob un. Byddai pob hanner nionyn yn cynrychioli rhyw fis neu'i gilydd – y 1af = Ionawr, yr 2il = Chwefror a'r 3ydd = Mawrth ayyb. Yna, ar yr Ystwyll (6ed Ionawr, sef 12fed dydd y Gwyliau) gweld os oedd yr halen ar bob nionyn yn wlyb i'r top neu beidio. Os halen gwlyb = mis gwlyb, os halen sych = mis sych. Er enghraifft, os ydi'r halen ar y 5ed nionyn yn sych cawn edrych ymlaen at fis Mai sych ayyb.

Mewn rhai ardaloedd fe fyddai partïon y Fari Lwyd, Gwaseilwyr a rhai fyddai wedi bod yn Hela'r Dryw yn mynd o dŷ i dŷ yn ystod y gwyliau, ond nos Ystwyll (5ed Ionawr) oedd y noson draddodiadol wreiddiol i hynny (gweler dan fis Ionawr, tud. 15).

26ain Rhagfyr: Gŵyl San Steffan (hefyd Gŵyl y Teulu Sanctaidd)

Dyma'r diwrnod y daeth y bugeiliaid i'r stabal i weld y baban a'r dyddiad pan labyddiwyd Steffan. Hwn hefyd oedd y diwrnod pan agorid y blychau elusen yn yr eglwys a rhannu'r rhoddion ymysg tlodion y plwyf – tarddiad y '*Boxing Day*' yn

Saesneg. Daeth yn arferiad i roi 'bocs Nadolig' (arian diolch-yn-fawr) i rai fyddai'n eich gwasanaethu drwy'r flwyddyn – postmyn, dynion llefrith, dynion lludw, plant y rownd bapur newydd ac ati.
Chwipio hefo celyn– un hen arfer creulon ar Ŵyl Steffan fyddai i ddynion y tŷ erlid y merched hefo canghennau o gelyn a'u taro ar eu breichiau nes ceid diferion o waed. Fe fyddai cryn firi a sgrechian fel y gallwch feddwl! Ym Maldwyn yr olaf i godi o'i wely, yn fachgen neu ferch, fyddai'n ei chael hi. Adlais sydd yma o aberthu rhywun ar ddiwedd y dathlu canol gaeaf paganaidd, ac fe'i gwaharddwyd cyn diwedd y 19eg ganrif.
Gwaedu anifeiliaid – roedd yn arferiad i waedu'r anifeiliaid hefyd o gwmpas y dydd byrraf ac yn enwedig ar Ŵyl Steffan. Roedd hyn i fod i'w cryfhau a'u harbed rhag afiechydon ac fe barhaodd hyd at ganol yr 20fed ganrif mewn rhai mannau. Tybed a oes adlais o'r hen ddefodau yma hefyd?
Hela – tan iddo gael ei wahardd yn 2005 roedd hela llwynogod â chŵn a cheffylau i'w weld mewn sawl ardal, yn enwedig ar lawr gwlad. Hela ar droed, gyda chŵn a gynnau yw'r arfer yn Eryri.
Hwyl cymdeithasol – wedi gor-fwyta a gor-yfed drwy ddydd Dolig mae'n braf cael mynd allan i gerdded, mynd i gêm bêl-droed neu fynychu rhai o'r gwyliau hwyliog gynhelir mewn ambell dre. Mae cystadleuaeth rowlio'r gasgen yn Ninbych yn denu cystadleuwyr o bell ac agos ac yn enghraifft wych o firi'r hen wyliau Dolig ar ei newydd wedd.

27ain Rhagfyr: Gŵyl Ioan yr Efengylydd

28ain Rhagfyr: Gŵyl y Gwirioniaid Sanctaidd
Cofio'r bechgyn dan ddwyflwydd oed yn ardal Bethlehem a laddwyd gan Herod wrth geisio difa bygythiad 'y brenin newydd' iddo a wneir ar y dyddiad hwn.

29ain Rhagfyr: Gŵyl Thomas Becket o Gaergaint

Yn ôl yr almanac Catholig, dethlir bywyd o leiaf un sant ar bob diwrnod o'r flwyddyn.

Nos Calan – hanner ffordd union rhwng Gŵyl Steffan a'r Ystwyll mae'r Calan, uchafbwynt y gwyliau ac yn esgus am bartis meddw a hwyl go iawn. Pan ddaw'r cyfrif 10-9-8-7 . . . i hanner nos, Big Ben yn taro deuddeg ar y teli bocs, tân gwyllt lond yr awyr yn y dinasoedd a phawb drwy'r byd bron, yn ogystal â'r Albanwyr yn canu 'Auld Lang Syne . . . ' mae 'na wefr yn does? Blwyddyn newydd arall, eiliad neu ddwy i wneud addewidion yn eich pen, a chodi'ch gwydr i ddymuno lwc dda i bawb . . .

Un peth yr oeddwn i wrth fy modd yn ei wneud erstalwm, pan oeddwn i'n ifanc a gwirion (hen a gwirion ydw i erbyn hyn ynde?), fyddai mynd o gwmpas pentref Clynnog ar nos Calan i ddwyn giatiau pobl! Roeddwn yn gwneud hyn i roi rhwydd hynt i'r hen flwyddyn ymadael ac i'r Flwyddyn Newydd ddŵad i mewn. Dwi'n cofio – ddiwedd y 1960au – taflu rhyw hanner dwsin o giatiau i gefn lori Sam, o'r pentref, oedd â chontract ar y pryd i gario graean o Chwarel Llwyn Gwanad i'r Wylfa i wneud concrit ar gyfer adeiladu'r Atomfa. Fe aeth Sam, heb sylwi dim, erbyn tua 6.00 y bore i'r chwarel, a lwc mwnci mul oedd hi i'r llwythwr sylwi fod 'na rwbath yn y trwmbal cyn ei lenwi – neu fe fuasai'r giatiau yn rhan o seiliau'r Wylfa heddiw.

Yn yr un cywair, fe fydda' i bob nos Calan, yn union cyn hanner nos yn agor drysau a ffenestri'r tŷ i adael yr Hen Flwyddyn allan a'r un Newydd i mewn. Rhyw arferiad bach digon diniwed efallai – ond yn seiliedig, fel yr ydwi'n dallt erbyn hyn, ar hen, hen ddefod oedd yn cynrychioli ymadawiad ysbryd yr hen flwyddyn a genedigaeth flynyddol Lleu, duw'r Haul, fyddai'n cynyddu'n raddol o hyn allan gan ddod i'w anterth ganol haf.

Nodiadau ar gyfer mis Rhagfyr

Dyma ni wedi cyfannu cylch y flwyddyn, un troad cyflawn o'r rhod. Gobeithio fy mod wedi dangos fod yna batrwm pendant i drefn y flwyddyn – patrwm sy'n dal mor amlwg heddiw, er yn wahanol iawn ei naws, i'r hyn geid dros ddwy fil a mwy o flynyddoedd yn ôl.

Gwelsom ar ein tro drwy'r tymhorau, gysgodion wyth gŵyl fawr flynyddol yr hen Geltiaid paganaidd ac eraill. Trawsffurfiwyd yr hen ddefodau gwaedlyd gwreiddiol (diolch i'r drefn) a'u Cristioneiddio drwy impio defodau newydd arnynt er mwyn newid eu hystyron, eu dofi a'u haddasu at ddibenion yr eglwys.

Yna yn ein dyddiau seciwlar ni, gyda'r duedd i fasnacheiddio pob dim, gwelwn sut y diflannodd rhai o'r hen wyliau, fwy neu lai, a sut y chwalodd eraill dros gyfnod ehangach (e.e. Gŵyl Awst) – a sut y cynyddodd un (sef y Dolig) i fod yn anghenfil economaidd. Wrth gwrs, mae elfen o ffasiwn a chyfle masnachol yn dod iddi hefyd – meddyliwch sut yr atgyfododd Calan Gaeaf o farw'n fyw yn ddiweddar.

Hanfod parhad yr hen wyliau ar hyd y canrifoedd fu eu gwerth cymdeithasol ac economaidd ym mhatrwm tymhorol y flwyddyn. Eu pwrpas gwreiddiol oedd nodi'n seremonïol y gweithgareddau amaethyddol, sy'n mynd â ni'n ôl i wreiddiau gwareiddiad yn unrhyw ran o'r byd. Ac er bod y defodau a'r duwiau'n amrywio o un lle i'r llall, yr un oeddent yn eu hanfod am mai efelychu natur a gwaith y tir oedd prif nodwedd yr hen grefyddau cyntefig.

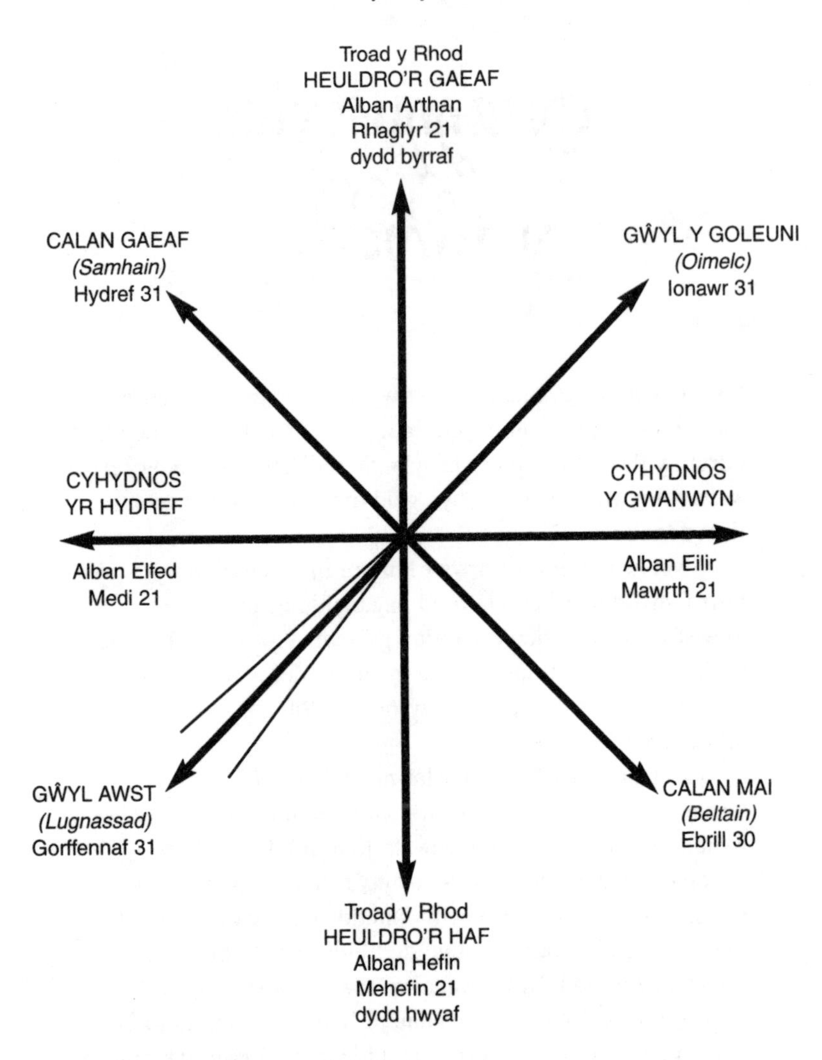

Alban Arthan, Eilir, Hefin ac Elfed yw'r enwau ar y bedair gŵyl sy'n ymwneud â'r haul, ond enwau gwneud yw'r rhain. Fe'u bathwyd gan Iolo Morganwg yn y 18fed ganrif at ddibenion 'derwyddol' Gorsedd y Beirdd.

Samhain, Oimelc, Beltain a Lugnassad yw'r hen enwau Gwyddelig ar y bedair gŵyl dân neu amaethyddol – enwau a ddaeth yn gyfarwydd drwy'r byd bellach pan sonnir am y gwyliau hyn.

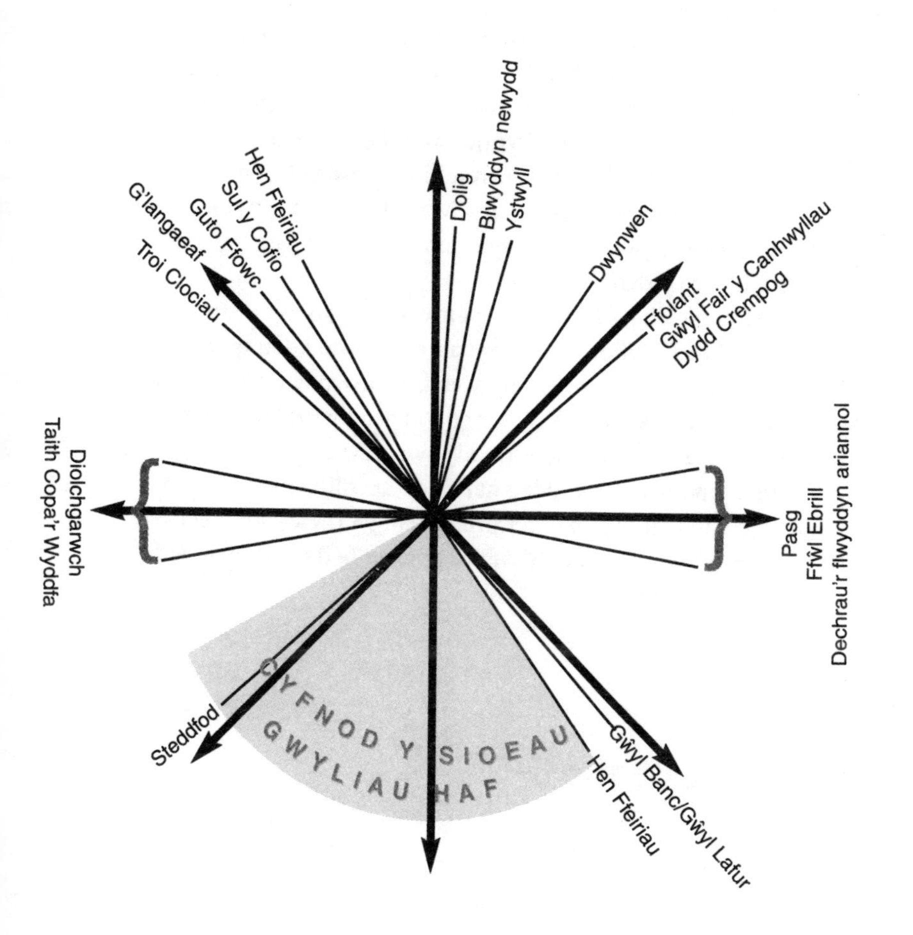

Dolig
Blwyddyn newydd
Ystwyll
Dwynwen
Ffolant
Gŵyl Fair y Canhwyllau
Dydd Crempog
Pasg
Ffŵl Ebrill
Dechrau'r flwyddyn ariannol
Gŵyl Banc/Gŵyl Lafur
Hen Ffeiriau
CYFNOD Y SIOEAU
GWYLIAU HAF
Steddfod
Diolchgarwch
Taith Copa'r Wyddfa
Troi Clociau
G'langaeaf
Guto Ffowc
Sul y Cofio
Hen Ffeiriau

Erbyn heddiw, rydym wedi ymbellhau yn arw fel cymdeithas oddi wrth y tir o ran agwedd, yn ogystal ag o ran ein ffordd o fyw. Eto fyth, mae sylfeini'r hen batrwm yn parhau oherwydd, er bod yr oes wedi newid, mae pwrpas y rhan fwyaf o'r dathliadau gwreiddiol yn aros. Fel yn achos y Dolig, yr un yw'r neges oesol: Gŵyl y Geni sydd yma a gobaith i'r dyfodol . . . a thipyn o esgus am hwyl a sbri yng nghanol diffeithwch y dyddiau duon.

Rwy'n eich gadael gyda'r patrwm canlynol o'r wyth gŵyl Geltaidd wreiddiol a'r prif wyliau a digwyddiadau modern cysylltiedig wedi'u gosod ar gylchdro'r flwyddyn. Cofiwch fod 360° mewn cylch a 365¼ diwrnod mewn blwyddyn ac felly mae'r gyfatebiaeth galendraidd rhyngddynt yn weddol agos. A phetai un diwrnod ar ddeg heb gael eu colli o'r calendr yn 1752 fe fyddai dyddiadau'r prif wyliau yn rhyfeddol o agos. Mae tro'r tymhorau felly yn debyg iawn heddiw i'r hyn oedd ddoe ac echdoe.